保険代理店における

個人情報取扱・管理 Q&A

その管理、適切ですか？

NIPPON SOURIN Co., LTD.

日本創倫株式会社

はじめに

　当社は、保険代理店の「監査」を請け負う専門会社であり、2014年から延べ500社近い保険代理店の体制整備をサポートしてきました。その中で、圧倒的に指摘する数が多く、また改善が進まない分野が「個人情報管理」に関する体制整備です。

　例えば、ある監査の現場では、従業員へのヒアリングで「個人情報と個人データの違い」を尋ねても、明確な答えが返ってこなく、また、「個人情報の保護に関する法律の安全管理措置」について経営者へ質問しても、法律で定められているにもかかわらず、理解されていないことがよくあります。

　このような監査現場の現状を憂慮して、この度、保険代理店の経営者の皆さまだけでなく、保険の仕事に携わる多くの人が個人情報の取扱いについて学ぶことのできる学習用テキストを発刊することとなりました。

　この冊子は、一般的な法律の遵守事項や禁止行為、言葉の定義を学ぶことだけに留まらず、実際の保険募集や営業事務の現場で日々起こっている疑問や困り事にまで範囲を広げました。また、テキストは現場でのヒアリングをイメージして、一問一答形式で作成し、疑問がその場で解決するような構成にしています。

　加えて、現場で働く人たちが、すぐに改善行動を起こせるように、これまでの監査経験から得た好事例（適切な事例）や不適切事例なども列挙し、経営者や管理責任者の方に改善の方向性を示すことができるように作られています。

　このテキストはあえて個人情報に関する体制整備の基礎中の基礎に焦点を絞って作成しています。そのため、これまで多くの人が理解の進まなかった個人情報管理について、実際の仕事で活かせる程度には習得できたと言っていただけるものになったと考えています。

　そして、このテキストを保険に携わっているなるべく多くの人に読んでいただくことで、保険募集の現場が適正に個人情報を取扱い、それが保険加入者に安心感を与える体制整備と保険代理店の皆さまの発展の一助となることを祈念します。

2020年7月

日本創倫株式会社

代表取締役　山本　秀樹

もくじ

1

個人情報・個人データの
取扱管理に関する
Q & A

対象者：経営者（管理者）/ 募集人

キーワード　個人情報の保護に関する法律

要注意度	指摘頻度
★☆☆	★★☆

1. 個人情報の保護に関する法律とは

 Q 保険代理店が守るべき、個人情報の保護に関する法律とはどのようなものですか？

A 個人情報の保護に関する法律には、「個人情報の保護に関する法律」、同法施行令、「金融分野における個人情報保護に関するガイドライン」（以下「ガイドライン」）、ならびに「金融分野における個人情報保護に関するガイドラインの安全管理措置等についての実務指針」（以下「実務指針」）などがあり、適用対象は基本的に個人情報取扱事業者（含む保険代理店）で、主に「個人データ」の管理・利用に関する規定が定められています。安全管理措置等の対象は、個人顧客に関する「個人データ」となります。

 **適切・不適切な対応例**

個人情報保護に関する関連法令の理解	
○ 適切	× 不適切
●「個人情報の保護に関する法律」、「金融分野における個人情報保護に関するガイドライン」、ならびに「金融分野における個人情報保護に関するガイドラインの安全管理措置等についての実務指針」について、保険代理店は個人情報取扱事業者として理解している	●「個人情報の保護に関する法律」は知っているが、「金融分野における個人情報保護に関するガイドライン」や「金融分野における個人情報保護に関するガイドラインの安全管理措置等についての実務指針」については、よく理解していない

 **必要なツール**　◇募集コンプライアンスガイド(損保協会版)

 改善のヒント　◆個人情報の保護に関する法律については、個人情報保護委員会のホームページ（http://www.ppc.go.jp/）を参照

■関連法令等
・個人情報の保護に関する法律(個人情報保護法)
・金融分野における個人情報保護に関するガイドライン
・金融分野における個人情報保護に関するガイドラインの安全管理措置等についての実務指針

■（参考）個人情報の保護に関する法律の目的
個人情報の保護に関する法律　第一条
　この法律は、高度情報通信社会の進展に伴い個人情報の利用が著しく拡大していることに鑑み、個人情報の適正な取扱いに関し、基本理念及び政府による基本方針の作成その他の個人情報の保護に関する施策の基本となる事項を定め、国及び地方公共団体の責務等を明らかにするとともに、個人情報を取り扱う事業者の遵守すべき義務等を定めることにより、個人情報の適正かつ効果的な活用が新たな産業の創出並びに活力ある経済社会及び豊かな国民生活の実現に資するものであることその他の個人情報の有用性に配慮しつつ、個人の権利利益を保護することを目的とする。

履修日　　　　年　　　　月　　　　日

 対象者：経営者（管理者）/募集人

 個人情報の保護に関する法律

要注意度	指摘頻度
★★★	★★★

2.「個人情報」とは

Q 「個人情報」とは何ですか？
また個人情報が含まれる帳票等にはどんなものがありますか?

A 　「個人情報」とは、生存する個人に関する情報であって、当該情報に含まれる氏名、生年月日その他の記述等により特定の個人を識別することができるものを言います。（他の情報と容易に照合でき、それにより特定の個人を識別することができることとなるものも含みます。）

　個人情報が含まれる帳票等は、契約申込書、保険料領収証(写)、事故関係書類一式、事故受付記録簿、個人情報の表示された端末画面のハードコピー等各種アウトプット・データ、その他特定の個人を識別できる情報が記載・記録された帳票や電子記録媒体(USBメモリー・CD・DVD等)などです。

適切・不適切な対応例

個人情報の理解	
○　適　切	✕　不適切
●「個人情報」の定義「生存する個人に関する情報で、氏名、生年月日その他の記述等により特定の個人を識別することができるもの」として理解しており、決められたルールに従って適切に取扱・管理している	●「個人情報」は、氏名、住所、生年月日などで、<u>法人の代表者の情報は、個人情報に当たらないと思っており</u>、また、<u>写真や音声、指紋などは含まないと思っている</u>

必要なツール
◇募集コンプライアンスガイド(損保協会版)

改善のヒント
◆「金融分野における個人情報保護に関するガイドライン」「金融分野における個人情報保護に関するガイドラインの安全管理措置等についての実務指針」を参照

■関連法令等
・個人情報の保護に関する法律第2条第1項

キーワード　金融分野ガイドライン

対象者：経営者（管理者）/募集人

要注意度	指摘頻度
★★★	★★★

3. 機微（センシティブ）情報とは

Q 機微（センシティブ情報）とは何ですか？

A 機微（センシティブ）情報とは、「金融分野における個人情報保護に関するガイドライン」に、「政治的見解、信教（宗教、思想および信条をいう。）、労働組合への加盟、人種および民族、門地および本籍地、保健医療および性生活、並びに犯罪歴に関する情報」と定義されています。金融分野における個人情報取扱事業者は、このガイドラインに沿って経営することが義務付けられています。

適切・不適切な対応例

機微（センシティブ情報）の理解

○ 適切	× 不適切
●機微（センシティブ）情報(健康状態・病歴等に関する情報)は、「金融分野における個人情報保護に関するガイドライン」に沿って取扱・管理するようにしている	●機微（センシティブ）情報は、個人情報と同じ扱いをしている

必要なツール

◇募集コンプライアンスガイド(損保協会版)

改善のヒント

◆「金融分野における個人情報保護に関するガイドライン」「金融分野における個人情報保護に関するガイドラインの安全管理措置等についての実務指針」を参照

■関連法令等

・金融分野における個人情報保護に関するガイドライン第5条

履修日	年	月	日

対象者：経営者（管理者）/募集人

 キーワード　個人情報の保護に関する法律

要注意度	指摘頻度
★★★	★★★

4. 要配慮個人情報とは

Q 要配慮個人情報とは何ですか？

A 「要配慮個人情報」とは、個人情報の保護に関する法律に「本人の人種、信条、社会的身分、病歴、犯罪の経歴、犯罪により害を被った事実その他本人に対する不当な差別、偏見その他の不利益が生じないようにその取扱いに特に配慮を要するものとして政令で定める記述等が含まれる個人情報をいう」と定義されています。個人情報を扱うすべての事業者が対象になります。

適切・不適切な
対応例

要配慮個人情報の理解	
○　適　切	○　適　切
●個人情報の保護に関する法律による保険代理店の取扱いでは、特に配慮を要する病歴、犯罪の経歴、犯罪により害を被った事実などの個人情報は「要配慮個人情報」として取扱っている	●酔っ払い運転者などの犯罪により害を被った事実(歩道で跳ねられた等)の事故報告の受付の時に、本人の了解を得ず、詳しく聞いて事故受付簿に記録し、保険会社へ報告した

 必要なツール　◇募集コンプライアンスガイド(損保協会版)

 改善のヒント　◆「金融分野における個人情報保護に関するガイドライン」「金融分野における個人情報保護に関するガイドラインの安全管理措置等についての実務指針」を参照

■関連法令等

・個人情報の保護に関する法律第2条第3項

対象者：経営者（管理者）／募集人

キーワード 個人情報の保護に関する法律

要注意度	指摘頻度
★★★	★★★

5. センシティブ情報と要配慮個人情報の違い

Q センシティブ情報と要配慮個人情報で対応に違いはあるのですか？

A 　センシティブ情報には、要配慮個人情報を含めた取扱いによる対応が必要で、特に保険代理店の事故受付などで要配慮個人情報は「犯罪により害を被った事実（犯罪被害）」の情報を扱う可能性が高いことは意識しておく必要があります。
　「要配慮個人情報」に該当するが、「機微（センシティブ）情報」に該当しないものとして、以下があげられます。

・犯罪により害を被った事実

・本人を被疑者または被告人として、逮捕、捜索、差押え、勾留、公訴の提起その他の刑事事件に関する手続が行われたこと

・本人を少年法に規定する少年またはその疑いのある者として、調査、観護の措置、審判、保護処分その他の少年の保護事件に関する手続が行われたこと

　なお、このテキストでは特段の定めがない限り、保険代理店が取扱いに注意すべきこれらの情報を総称して「センシティブ情報等」と表記します。

適切・不適切な
対応例

保険代理店における要配慮個人情報	
○　適　切	×　不適切
●改正個人情報の保護に関する法律では、機微情報（センシティブ情報）について、「要配慮個人情報」が新たに定められ、「金融分野における個人情報保護に関するガイドライン」における機微情報については、特に慎重に取扱・管理している	●「要配慮個人情報」について、機微情報（センシティブ情報）との違いや定義をよく理解していない

必要な
ツール

◇募集コンプライアンスガイド(損保協会版)

改善の
ヒント

◆「金融分野における個人情報保護に関するガイドライン」「金融分野における個人情報保護に関するガイドラインの安全管理措置等についての実務指針」を参照

■関連法令等

・個人情報の保護に関する法律第2条第3項

・金融分野における個人情報保護に関するガイドライン第5条

・金融分野における個人情報保護に関するガイドラインの安全管理措置等についての実務指針7－1～2

履修日	年	月	日

 対象者：経営者（管理者）/募集人

要注意度	指摘頻度
★★★	★★★

キーワード　個人情報の保護に関する法律

6.「個人データ」とは

Q 「個人データ」とは何ですか？

A 「個人データ」とは、個人情報を容易に検索することができるように体系的にまとめた個人情報データベース等を構成する個人情報のことで、実務では契約者リストや見込契約一覧、満期管理表などが該当します。

適切・不適切な対応例

個人データの理解

○ 適 切	✕ 不適切
●契約者リストや見込契約一覧、満期管理表など紙媒体、電子媒体を問わず、特定の個人情報を検索できる個人情報の集合体である「個人データ」は、安全管理措置のルールに従って取扱・管理している	●個人データと個人情報の定義や違いがよくわからないので、自分の机の引き出しや営業カバンなどに入れて保管している

必要なツール　◇保険会社等提供の代理店ハンドブックや顧客情報取扱マニュアルなど

改善のヒント　◆個人情報の保護に関する法律ハンドブック(個人情報保護委員会作成)を確認

■関連法令等

・個人情報の保護に関する法律第2条第6項

個人情報の保護に関する法律

対象者：経営者（管理者）/募集人

要注意度	指摘頻度
★★☆	★★☆

7.「保有個人データ」とは

Q 「保有個人データ」とは何ですか？

A 「保有個人データ」とは、個人情報取扱事業者が、開示、内容の訂正、追加または削除、利用の停止、消去および第三者への提供の停止のすべてに応じることのできる権限を有する6ヶ月以上保有する個人データを言います。2020年の法律改定で6ヶ月以内に消去する短期保存データについても保有個人データに含めることが検討されています。

適切・不適切な
対応例

保有個人データの理解	
○ 適 切	✕ 不適切
●社内で、修正、削除等および第三者への提供の停止を行うことができる個人データを6ヶ月以上保有する場合は「保有個人データ」として管理している	●一年以上前に取得した個人データを個人管理のＰＣでそのまま保管している

必要な
ツール
◇保険会社等提供の代理店ハンドブックや顧客情報取扱マニュアルなど

改善の
ヒント
◆個人情報の保護に関する法律ハンドブック(個人情報保護委員会作成)を確認

■関連法令等

・個人情報の保護に関する法律第2条第7項

履修日	年	月	日

対象者：経営者（管理者）/募集人

要注意度	指摘頻度
★★☆	★★☆

キーワード　個人情報の保護に関する法律

8.「個人情報データベース等」とは

Q 「個人情報データベース等」とは何ですか？

A 「個人情報データベース等」とは、個人情報を含む情報の集合物であって、①特定の個人情報をコンピュータを用いて検索できるように体系的に構成したもの、または②コンピュータを用いていない場合であっても、五十音順に索引を付して並べられた顧客カード等、個人情報を一定の規則に従って整理することにより特定の個人情報を容易に検索することができるよう体系的に構成したものであって、目次、索引、符号等により一般的に容易に検索可能な状態に置かれているものを言います。

適切・不適切な
対応例

個人情報データベース等の理解	
○　適　切	✕　不適切
●パソコンや体系化したファイルやシステムの個人情報のリストおよび五十音順に索引を付して並べられた顧客管理カード等、特定の個人の情報を容易に検索できる「個人情報データベース等」は、ID・パスワード管理やアクセス制限などでセキュリティ管理している	●特定の個人情報を容易に検索できるように五十音順にした顧客カード等整理し、すぐに検索できるように机の上においている

必要な
ツール

◇保険会社等提供の代理店ハンドブックや顧客情報取扱マニュアルなど

改善の
ヒント

◆個人情報の保護に関する法律ハンドブック(個人情報保護委員会作成)を確認

■関連法令等

・個人情報の保護に関する法律第2条第4項

キーワード　個人情報の保護に関する法律

対象者：経営者（管理者）／募集人

要注意度	指摘頻度
★★☆	★★★

9. プライバシーポリシーとは

 Q 何故、個人情報保護に関する基本方針（プライバシーポリシー）を策定し、公表しなければならないのですか？

 **A** 　個人情報の保護に関する法律第27条では、個人の権利利益を確保するためにすべての事業者に個人情報保護に関する基本方針（プライバシーポリシー）を策定し、事務所やホームページなど顧客の目につきやすい場所へ掲示するなどして公表することを義務付けています。また、法令の改正や業務変更など必要に応じてプライバシーポリシーの見直しも行う必要があります。

	プライバシーポリシーの掲示	
適切・不適切な対応例	**○　適　切**	**✕　不適切**
	●プライバシーポリシーを店頭の目立つ場所に大きく掲示している	●プライバシーポリシーは策定したが、顧客の目につかない場所や小さくて読めない文字の大きさで表記されている

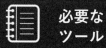 **必要なツール**　◇プライバシーポリシー（ひな型）

 **改善のヒント**　◆プライバシーポリシーを必ず掲示し、必要に応じて見直しを行う

■**関連法令等**

・個人情報の保護に関する法律第27条

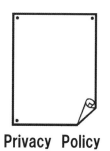
Privacy Policy

履修日	年	月	日

 キーワード **個人情報の保護に関する法律**

対象者：経営者（管理者）

要注意度	指摘頻度
★★☆	★★★

10. プライバシーポリシーの公表

Q プライバシーポリシー（個人情報保護に関する考え方および方針）は、どのように公表すればいいですか?

 A

プライバシーポリシーは以下のような方法で公表しなければなりません。
①自社のホームページに掲載している
②代理店事務所・店舗にポスターとして掲示している
③チラシを備付けお客さまにお見せできるようにしている、など
　また、作成にあたっては保険会社提供のひな型（必要項目を記入）を使用するか、または、独自に作成されている場合は以下の項目をすべて記載していなければなりません。
①代理店の名称、②関係法令等を遵守することの宣言、③苦情処理に適切に取組むことの宣言、④基本方針の継続的改善の宣言、⑤取得する個人情報の利用目的、⑥すべての保有個人データの利用目的、⑦目的外に利用しないことの宣言、⑧個人情報の利用目的の通知・公表等の手続きについての分かりやすい説明、⑨個人データの安全管理に関する宣言・基本方針、⑩個人情報の取扱いおよび安全管理措置に関する質問および苦情処理の窓口、⑪開示等の手続き等、個人情報の取扱いに関する諸手続についての分かりやすい説明

適切・不適切な対応例	プライバシーポリシーの掲示	
	○ 適 切	✕ 不適切
	●必要項目をすべて記載したプライバシーポリシーを自社のホームページと店頭ポスターで公表している	●必要項目に一部不備があるため、プライバシーポリシーは公表せず、社内資料としている

必要なツール	◇保険会社等提供の店頭プライバシーポリシー（ひな型）やホームページ掲載

 改善のヒント	◆店頭プライバシーポリシーの掲示場所の確認やホームページのプライバシーポリシーが改正法を反映した内容かチェックする

■**関連法令等**
・個人情報の保護に関する法律第27条
・金融分野における個人情報保護に関するガイドライン第12条

キーワード　個人情報の保護に関する法律、保険業法

対象者：経営者（管理者）

要注意度	指摘頻度
★☆☆	★★☆

11. 安全管理措置の対象

 Q 安全管理措置の内容は個人情報の保護に関する法律と保険業法のどちらでも義務化されていますが、求められていることはどう違うのでしょうか？

 **A** 　個人情報の保護に関する法律では、安全管理措置等の対象は「個人データ」に限定されています。保険業法では、安全管理措置等の対象は「個人顧客情報」とされていますが、具体的には、個人顧客に関する「個人データ」が対象となります。また、従業員の情報や法人顧客の情報に含まれる個人情報は措置の対象外となります。

	安全管理措置の周知・徹底	
適切・不適切な対応例	**〇　適　切**	**✕　不適切**
	●一般の個人情報取扱事業者と異なるので、金融庁の策定した「金融分野における個人情報保護に関するガイドライン」や「金融分野における個人情報に関するガイドラインの安全管理措置等についての実務指針」に従い遵守している。また、社内で個人情報の保護に関する法律の安全管理措置をテーマに研修を実施し、事後テストで全員が理解しているか確認している	●安全管理措置について勉強したことがなく、内容をよく理解できていない

 必要なツール　◇金融分野における個人情報に関するガイドラインの安全管理措置等についての実務指針

 **改善のヒント**　◆個人情報の保護に関する法律の安全管理措置をテーマとした研修や勉強会を従業員教育として盛り込み定期的に行う

■関連法令等

・金融分野における個人情報保護に関するガイドライン
・金融分野における個人情報に関するガイドラインの安全管理措置等についての実務指針

履修日	年	月	日

対象者：経営者

キーワード　個人情報の保護に関する法律

要注意度	指摘頻度
★★☆	★★☆

12. 個人情報の保護に関する法律に違反した場合の罰則

Q 個人情報取扱事業者が個人情報の保護に関する法律に違反した場合は、どのような罰則が科されるのですか？

A 　個人情報取扱事業者は法の定める義務に違反し、個人情報保護委員会の改善命令にも違反した場合には「6ヶ月以下の懲役または30万円以下の罰金」の刑事罰の対象になります。また、従業員が不正な利益を図る目的で個人情報データベース等を提供・盗用した場合、1年以下の懲役、または50万円以下の罰金(法人にも罰金)が科される可能性があります。

　さらに情報を漏えいされた顧客から損害賠償を請求されることも想定されます。また、マスコミ等によって情報漏えい事件の公表があると信用失墜につながり代理店経営に大きな影響を与えます。

適切・不適切な対応例

安全管理措置の徹底	
○ 適 切	✕ 不適切
●顧客情報の漏えいを発生させないために安全管理措置規程を定めている	●保険代理店は個人情報取扱事業者であるにもかかわらず個人情報の保護に関する法律で定める安全管理措置を講じていない

必要なツール

◇金融機関における個人情報保護に関するQ&A

改善のヒント

◆コンプライアンス研修で「安全管理措置」をテーマとして従業者の理解促進を図る

■関連法令等

・個人情報の保護に関する法律第82条〜88条

2

個人データの安全管理措置
Q & A

キーワード　パソコンの管理

対象者：経営者（管理者）

要注意度	指摘頻度
★★★	★★★

（I）技術的安全管理措置
1. ノートパソコン・タブレット・スマートフォンの管理

Q 退社するときはノートパソコンを机上に置いたままにしていますが、管理上の問題は有りますか？

A 　個人情報の保護に関する法律で定める技術的安全管理措置として多くの個人情報、個人データが保存されているデスクトップパソコン、ノートパソコンについては盗難などで持ち出されないよう厳格な管理が求められています。特にノートパソコンは簡単に持ち出すことが可能なため、退社時には施錠できるキャビネットへ保管する、またはセキュリティワイヤーで机などに括り付けるなどの社内ルールを制定して徹底することが必要となります。

適切・不適切な
対応例

ノートパソコンの管理

○　適　切	×　不適切
●ノートパソコンは、施錠キャビネットに保管して退社している	●ノートパソコンを机上に放置したまま退社している

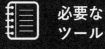

必要な
ツール

◇募集コンプライアンスガイド(損保協会版)

改善の
ヒント

◆社内ルールとしてパソコン管理規程、ガイドラインを策定する

■関連法令等

・金融分野における個人情報保護に関するガイドラインの安全管理措置等についての実務指針4－4

履修日	年	月	日

 キーワード　**ID・パスワードの設定・管理**

👤 対象者：経営者（管理者）

要注意度	指摘頻度
★★★	★★★

（Ⅰ）技術的安全管理措置
2.ID・パスワードの設定・管理

Q 当社では個人データ管理者が従業者全員のＩＤ・パスワードを管理していますが、注意点について教えてください。

A 　個人情報の保護に関する法律で定める技術的安全管理措置として従業者が業務使用するパソコンについてＩＤ・パスワードを設定して管理者または担当者がＩＤ・パスワード管理表を作成して全員分を管理する必要があります。パスワード管理については従業者それぞれが設定し、定期的に変更しなければなりません。稀にパスワードが全員一緒になっていることがありますが、それでは誰でも他人のパソコンを開くことができることになり、社内とはいえ個人情報が漏えいするリスクが高まります。最近は募集人が他の代理店に移籍、転職するケースが増えており社内の機密情報、顧客情報を無断で持ち去られることになります。

 適切・不適切な対応例

ID・パスワードの管理	
〇　適　切	✕　不適切
●保険業務用の機器(パソコン・タブレット・スマートフォン等)を使用する際には、他の者とは起動時パスワードまたはログインパスワード等を共有せず、独自のパスワードを設定している。また個人データ管理者が全従業者のＩＤ・パスワードを管理して定期的にパスワードを変更している	●業務で使用するパソコンのパスワードは統一しており、定期的に変更もしていない

 必要なツール　◇募集コンプライアンスガイド(損保協会版)

 改善のヒント　◆全従業者のＩＤ・パスワードを知る者を限定する（社長、個人データ管理責任者など）

■関連法令等

・金融分野における個人情報保護に関するガイドラインの安全管理措置等についての実務指針４－１

履修日　　　　年　　　月　　　日

 キーワード　**情報漏えい事故の防止**

対象者：経営者（管理者）

要注意度	指摘頻度
★★☆	★★★

（Ⅰ）技術的安全管理措置
3. 管理区分設定・アクセス制限

Q 執務室内の個人情報漏えい防止のための安全管理措置としてどのような体制を整備しておくことが必要ですか？

A 執務室内に従業者以外の者が立ち入らない措置として当然のことですが、入り口、出口の施錠管理ならびに誰が<u>鍵を所有するかを社内ルールで決めておくこと</u>が必要です。特定の方が所有する、全員が所有するそれぞれメリット・デメリットがありますが管理を行ううえで重要になります。また、<u>店頭客から個人情報を盗み見られないために</u>店頭カウンターと執務室内を仕切るパーテーションを配置することも重要です。

適切・不適切な対応例

執務室内の注意点	
○　適　切	✕　不適切
●管理区域外に個人情報を持ち出す場合、管理簿等で持ち出し状況を確認している。また、持ち出す個人情報は、訪問先の個人情報に限定する等、業務上必要最低限のものに限定している。店頭カウンターの来客から執務室の机上が見られないようにパーテーションで仕切っている	●店頭カウンターの来客から募集人の机のパソコン画面や書類などの契約情報を見ることができる状態になっている

必要なツール　◇募集コンプライアンスガイド(損保協会版)

改善のヒント
◆店頭カウンターと執務室とのスペースを取る
◆店頭カウンターから見える場所に申込書類などの重要書類を置かない

■**関連法令等**
・金融分野における個人情報保護に関するガイドラインの安全管理措置等についての実務指針４－２

履修日　　　年　　　月　　　日

 キーワード　**ファイル共有ソフト**

対象者：経営者（管理者）

要注意度	指摘頻度
★★☆	★★★

（Ⅰ）技術的安全管理措置
4. パソコンのセキュリティ対策ソフト（ファイル共有ソフト）の確認

Q 保険業務に使用するパソコンに、ファイル共有ソフト（ウィニー等）がインストールされていないかを確認・記録する必要はありますか?

A 　保険業務に使用する**すべてのパソコンに**、ファイル交換ソフト（ウィニー、シェア等）がインストールされていないかを定期的に確認し、その結果を記録し保管する必要があります。（自分でインストールしなくても、ネット上のメール受信やダウンロードによりインストールされる場合があります。）

①情報漏えいリスクの高いWinny（ウィニー）やShare（シェア）等のファイル交換ソフトをインストールしていないか、定期的にチェックする

②「パソコン簡易セキュリティ診断」を利用できる代理店は同診断を定期的に実施し、ファイル交換ソフトの導入を含めた業務使用パソコンのセキュリティ対策の状況を確認する

適切・不適切な対応例	ファイル交換ソフト対策	
	○　適　切	✕　不適切
	●すべての従業員にウイニーなどをインストールしないように研修で周知・徹底している ●四半期に１回、すべてのパソコンにファイル交換ソフトがインストールされていないかを点検・確認している	●社内ルールでファイル交換ソフト（ウィニー等）のインストールを禁止しているので、特に点検や確認まではしていない

 **必要なツール**　◇保険会社等提供または実施のセキュリティチェックソフト

 **改善のヒント**　◆情報管理担当者がセキュリティ診断の年間定期点検の計画を定め、点検結果を記録し、店主または管理責任者へ報告する

■関連法令等

・金融分野における個人情報保護に関するガイドラインの安全管理措置等についての実務指針４－４－１

25

キーワード　　ウイルス対策ソフト

対象者：経営者（管理者）

要注意度	指摘頻度
★★☆	★★★

（Ⅰ）技術的安全管理措置
5．パソコンのセキュリティ対策ソフト（ウイルス対策ソフト）の導入・点検

Q 保険業務に使用するパソコンにはウイルス対策ソフトを導入する必要がありますか?

A 　保険業務に使用するすべてのパソコンに**ウイルス対策ソフト**を導入し、**常に最新の状態にしておく**必要があります。また、ＯＳのアップデートも忘れずに実施することが望ましい対策と言えます。
　導入に際しては以下の点に注意してください。
　・無償のウイルス対策ソフトや更新期限切れのソフトは、セキュリティレベルが不十分であり有効な対策とは言えません
　（マイクロソフト社の無償ソフト「ディフェンダー（Defender）」は、利用可です）
　・インターネットサービスプロバイダーが提供するサービスを利用している場合で、ウイルス対策がメール機能のみ対象の場合も有効な対策とは言えません

適切・不適切な
対応例

ウイルス対策	
○　適　切	✕　不適切
●すべてのパソコンをウイルス検知ソフトで定期的にセキュリティ診断している	●パソコンを購入した時に導入されていたウイルス対策ソフトを使用しており、更新されているかわからない

必要な
ツール
◇保険会社等提供またはパソコン購入時に購入したセキュリティチェックソフト

改善の
ヒント
◆情報管理担当者がセキュリティ診断の年間定期点検の計画を定め、ウイルス対策ソフトが最新バージョンか確認し、点検結果を記録し、店主または管理責任者へ報告する

■関連法令等
　・金融分野における個人情報保護に関するガイドラインの安全管理措置等についての実務指針４－４－１

履修日　　　年　　　月　　　日

 キーワード　**セキュリティ対策**

👤 対象者：経営者（管理者）

要注意度	指摘頻度
★★★	★★★

（Ⅰ）技術的安全管理措置
6．ソーシャルハッキング対策

Q パソコンのウイルス対策以外で何か気を付けることはありますか？

A 　ソーシャルハッキングに気を付ける必要があります。ソーシャルハッキングとは、ユーザーＩＤやパスワードを盗み出すのに技術的な手段を利用せず、直接本人の口から聞き出す、入力の様子を盗み見る、書類やメモを入手する、といった原始的な手段を利用する行為のことで、高度なパソコンスキルの必要がないところが特徴です。ＩＤやパスワード、入力中の画面は他人から見られないようにすることや書類を廃棄するときは個人情報が無いことをチェックするなどの基本的な行動で対処が可能です。

適切・不適切な対応例

ソーシャルハッキング対策	
○　適　切	✕　不適切
●覗き見防止フィルムを購入し、他人からパソコンの画面を見られないようにしている	●パソコンのIDとパスワードをメモして、普段から使用している手帳に挟んで持ち歩いている

必要なツール　◇安全管理措置自己点検チェックリスト(個人情報保護委員会)

改善のヒント　◆システム管理者の技術的な対応では防ぐことが困難であるため、個人のセキュリティ意識を徹底させる研修等を実施し、自己点検で自身の行動を振り返る、または別の人と相互点検を行い他人の目からチェックする

■関連法令等

・個人情報の保護に関する法律第２０条
・金融分野における個人情報保護に関するガイドラインの安全管理措置等についての実務指針３－４

キーワード　セキュリティ対策

対象者：経営者（管理者）

要注意度	指摘頻度
★★★	★★★

（Ⅰ）技術的安全管理措置
7．通信の安全性確保

Q パソコンを社外で使う機会が増えていますが、Free Wi-Fiを使うことに問題はありますか？

A 　セキュリティ上の問題があります。Free Wi-Fiは便利ですが、セキュリティ面では脆弱と言わざるを得ません。法律上義務化されているものではありませんが、個人情報管理の徹底という意味でＶＰＮや携帯電話のテザリングによる通信の導入する方が安心です。
ＶＰＮ…Virtual Private Networkの頭文字を取った用語で、離れた場所の間を仮想的な専用線でつないで安全なデータ通信を実現する仕組みです

適切・不適切な対応例

通信の安全性

○　適切	×　不適切
●テレワークなど社外でのパソコン利用が増えたので、VPNを導入している	●社外でパソコン通信を利用するときは、Free Wi-Fiをそのまま利用している

必要なツール ◇安全管理措置自己点検チェックリスト(個人情報保護委員会)

**改善のヒント** ◆ウイルス対策ソフトの導入と合わせてVPNの導入も検討する

■関連法令等

・個人情報の保護に関する法律第20条
・金融分野における個人情報保護に関するガイドラインの安全管理措置等についての実務指針４－２－１

履修日　　　　年　　　月　　　日

 キーワード　**物理的な保護**

対象者：経営者（管理者）/募集人

要注意度	指摘頻度
★★☆	★★☆

（Ⅰ）技術的安全管理措置
8. 機器・装置等の物理的な保護（盗難、破壊・破損、漏水、火災、停電等）

Q 業務用パソコンに誤って飲料をこぼしてしまい、使用できなくなりました。個人情報管理の観点で何か問題はありますか？

A 　金融事業者はガイドラインで機器などの物理的安全措置を講じるよう求められています。中小規模事業者の対応例からは、盗難や覗き見に関する措置は講じる必要がありますが、汚損や漏水に対しては従業員への注意喚起から始めることでも十分だと考えられます。
　しかし、パソコンの廃棄は別の問題になりますので、自社のルールに則って適正に対応しなければなりません。

 適切・不適切な対応例

物理的な保護

○　適　切	✕　不適切
●覗き見防止シートの配布や外部記録媒体（USB・DVD-R等）への書き込み禁止ソフトを購入するなど、個人情報の盗難に対して物理的な措置を講じている	●従業員のモラルに任せており、投資の必要な措置は講じていない

 必要なツール　◇安全管理措置自己点検チェックリスト(個人情報保護委員会)

 改善のヒント　◆物理的措置への投資も検討する

■関連法令等

・個人情報の保護に関する法律第20条
・金融分野における個人情報保護に関するガイドラインの安全管理措置等についての実務指針3－4

履修日　　　年　　月　　日

 キーワード　規程等の整備

対象者：経営者（管理者）

要注意度 ★★☆　　指摘頻度 ★★★

（Ⅱ）組織的安全管理措置
1．個人情報および個人データの安全管理に関する取扱規程

Q 個人情報および個人データの安全管理について、何から始めればいいのですか?

A まず、個人情報および個人データの安全管理に関する取扱規程を定めて、備えておくことから始めます。取扱規程は、保険会社提供等のひな型（必要項目を記入）を使用するか、または、ひな型を参照して独自に作成することでも構いません。ただし、独自作成する場合は、ひな型の項目を漏れなく記載しておく必要がありますので注意してください。

適切・不適切な
対応例

個人情報取扱規程の策定・運用

○ 適　切	× 不適切
●所属保険会社から提供されたひな型をベースに社内で個人情報取扱規程を定めて、研修で徹底を行っている	●保険会社から配布された業務規程集は備え付けているが、読んだこともなく、従業員に内容を説明したこともない

 必要なツール　◇個人データの安全管理に係る取扱規程（ひな型）

 **改善のヒント**　◆個人データ管理責任者が中心となって社内の情報管理ルールの研修を実施する

■**関連法令等**
・金融分野における個人情報保護に関するガイドライン第8条第5項（1）
・金融分野における個人情報保護に関するガイドラインの安全管理措置等についての実務指針1－2

履修日	年	月	日

🔑 キーワード　役割・責任の明確化

👤 対象者：経営者（管理者）

要注意度	指摘頻度
★★☆	★★★

（Ⅱ）組織的安全管理措置
2. 個人データ取扱者（氏名等常時把握）の管理

Q 個人データ取扱者（従業員）は、どのように管理すればいいですか？

A　個人データ取扱者は、氏名・役職または部署名を以下のような方法で把握し、常に確認できる状態にしておくことが必要です。

・募集人は「募集人管理システム」で把握し、募集人以外（内部事務従事者等）は、氏名・役職または部署名を記載した名簿を作成し把握する

・既存の社員名簿等に個人データ取扱者を明示する欄を加えて管理する

・全社員が個人データを取扱う場合は、既存の社員名簿に全員が対象であることを記載する

　また、管理方法は「個人情報の取扱規程」になっていることが必要です。

適切・不適切な
対応例

個人データ取扱者名簿

○　適　切	✕　不適切
●すべての従業員がお客さま対応を行い個人データを取扱うため、従業員名簿で個人データ取扱者を管理している	●誰が個人データ取扱者を把握しておらず、名簿も作成していない

📓 必要な ツール
◇保険会社等提供の代理店ハンドブックや顧客情報取扱マニュアルなど
◇個人データ取扱者名簿（ひな型）

🔍 改善の ヒント
◆個人データ管理者が新入社員、退職者の名簿記載管理を行う

■関連法令等

・金融分野における個人情報保護に関するガイドラインの安全管理措置等についての実務指針３−２

キーワード　個人データ管理台帳

対象者：経営者（管理者）

要注意度	指摘頻度
★★★	★★★

（Ⅱ）組織的安全管理措置
3. 個人データ管理台帳に必須の記載項目

Q 個人データを管理するための台帳（以下、個人データ管理台帳）を策定し、備え付ける必要があると聞きましたが、何を記載すればいいのですか?

A 個人データ管理台帳には次の項目を記録する必要があります。
a.取得項目（氏名、住所、電話番号等の項目）
b.利用目的
c.保管場所・保管方法・保管期限
d.管理部署
e.アクセス制御の状況

適切・不適切な対応例

個人データ管理台帳の内容	
○ 適切	✕ 不適切
●必要項目を記録可能で、かつ自店の実態に合った個人データ管理台帳を備えている	●保険会社提供のひな型のまま個人データ管理台帳として備えつけてはいるものの、使い勝手が悪いためほとんど利用できていない

必要なツール

◇個人データ管理台帳

改善のヒント

◆必要項目に「取得日」「廃棄日」を追加することをご提案します

■**関連法令等**

・金融分野における個人情報保護に関するガイドラインの安全管理措置等についての実務指針2－4

履修日　　　　年　　　月　　　日

 キーワード　個人データ管理台帳

 対象者：経営者（管理者）

要注意度	指摘頻度
★★★	★★★

（Ⅱ）組織的安全管理措置
4. 個人データ管理台帳の定期的な更新や棚卸し

Q 個人データ管理台帳を作成しましたが、これからどのように管理すればいいですか？

A 　代理店が守るべき安全管理に係る規程に従い、代理店内における個人データの取扱状況を確認するため、次の5つの項目[(1)取得項目、(2)利用目的、(3)管理部署、(4)保管方法・保管場所・保管期間、(5)アクセス制限の状況]を記載した「個人データ管理台帳」を作成し、管理しなくてはなりません。個人データ管理台帳は、独自に作成した個人データ(大口顧客リスト、見込契約者リスト等)や新たに取得した個人データおよび取得した内容に変更が生じた場合は、管理台帳に新たに追記や記載内容を変更する必要があります。保険会社提供の個人データ管理台帳を使用する場合でも適正に記載した管理台帳を備え付けたうえで、使用・保管し更新し、定期的に点検・確認する必要があります。

 適切・不適切な対応例

個人データ管理台帳の使用・管理	
○　適　切	✕　不適切
●個人データ管理者が、四半期に一度、記載内容に漏れがないかと確認している	●個人データ管理台帳は、ひな型をそのまま備え付け、独自に作成している個人データは記載しておらず、特に更新や棚卸しはしていない

 必要なツール

◇保険会社等提供の社内規則ルール（ひな型）

 改善のヒント

◆取得した個人データをすべて管理台帳に記載することがまず前提。更新や棚卸しの社内ルールを策定する

■関連法令等

・金融分野における個人情報保護に関するガイドラインの安全管理措置等についての実務指針2－5

キーワード　個人データ管理台帳

 対象者：経営者（管理者）

要注意度	指摘頻度
★★★	★★★

（Ⅱ）組織的安全管理措置
5．個人データ管理台帳の定期的な更新方法

Q 個人データ管理台帳の定期的な更新方法について教えてください。

A 　保険代理店の日常業務で個人データは新たに取得したり、不要となり廃棄を繰り返しています。そのため、毎日更新することは個人データ管理台帳への記載が多くなり過ぎ現実的ではありません。例えば、新規に個人データを取得してから3ヶ月を超えても必要なデータの場合には個人データ管理台帳に記載するというルールであれば徹底できるのではないでしょうか。ただし、3ヶ月間は他の書類やファイルとの混在や紛失を防ぐために専用の「仕掛かり箱」「仕掛かり中ファイル」を作成して個別管理することが必要です。

適切・不適切な対応例

個人データ管理台帳の更新方法	
○　適　切	✕　不適切
●社内ルールで3ヶ月ごとの棚卸しルールを定めている	●個人データ管理台帳の追加、削除を行っていない

必要なツール　◇保険会社等提供の代理店ハンドブックや顧客情報取扱マニュアルなど

改善のヒント　◆取得した個人データをすべて管理台帳に記載することは事務負荷が掛かるので例えば3ヶ月以上保管、保存している個人データを追加記載する社内ルールを策定する

■関連法令等

・金融分野における個人情報保護に関するガイドラインの安全管理措置等についての実務指針2－5

履修日	年	月	日

 キーワード　社内点検

 対象者：経営者(管理者)/募集人

要注意度	指摘頻度
★★☆	★★★

（Ⅱ）組織的安全管理措置
6. チェックシートによる点検

Q 個人情報取扱いについて社内点検する方法について教えてください。

A 　個人情報管理の自己点検には色々な組み合わせが考えられます。頻度としては日次、週次、月次点検となります。点検の方法は募集人本人による自己点検、募集人同士の相互点検、管理責任者による点検があります。例えば、帰り際にパソコンをキャビネットに片付けることは自己で日次点検し、メールの個人情報チェックは相互で月次チェックするなどです。点検を形骸化させず実効性を上げるためには、管理責任者による抜き打ち点検を行うことを通知することも有効です。これにより職場に緊張感が醸成され、より高い効果が得られると考えられます。

※点検箇所　①机中の書類　②営業かばん　③業務用手帳　④パソコンの個人ファイル　⑤キャビネット保管書類

適切・不適切な対応例

定期的な自己点検	
〇　適　切	**✕　不適切**
●毎週金曜日の退社時にチェックシートで自己点検を行っている	●1年に1回、個人情報管理の研修時に自己点検を行っているが、それ以外は何もやっていない

 必要なツール　◇安全管理のための自己点検チェックシート(個人情報保護委員会)

 **改善のヒント**　◆社内で日次、週次、月次などの点検ルールを定める

■**関連法令等**

・金融分野における個人情報保護に関するガイドラインの安全管理措置等についての実務指針2－5

履修日	年	月	日

 キーワード **第三者提供管理簿**

👤 対象者：経営者（管理者）

要注意度	指摘頻度
★★☆	★★☆

（Ⅱ）組織的安全管理措置
7. 個人データ授受に関する第三者提供管理簿の作成・管理

Q 新規募集のために個人データを第三者から提供してもらうことを検討しています。そのときの注意点は何ですか？

A 名簿業者などの第三者から個人データの提供を受ける場合、そのデータが不正に入手されたものでないことを確認するために、入手経緯を聴取することが義務付けられています。そのうえで、提供者の氏名、取得経緯等を確認し、提供を受けた年月日・確認に係る事項等を記録し保管しなければなりません。

適切・不適切な対応例

個人データの購入

◯ 適 切	✕ 不適切
●原則、名簿業者から名簿を購入することはないが、万が一購入する際は、社内ルールに則って購入者からヒアリングを行い記録・保管している	●名簿業者の利用は担当者任せにしており、会社としては管理していない

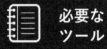 **必要なツール** ◇保険会社等提供の代理店ハンドブックや顧客情報取扱マニュアルなど

 **改善のヒント** ◆個人データは第三者から提供を受けないこと

■**関連法令等**

・個人情報の保護に関する法律第26条

履修日　　　年　　　月　　　日

 キーワード　　**テレワーク**

 対象者：経営者（管理者）

要注意度	指摘頻度
★★★	★★★

（Ⅱ）組織的安全管理措置
8. 事業場外（テレワーク）での個人情報利用に関する規程

Q テレワークを始めようと考えています。個人情報管理の点でどのようなことに気を付ければいいですか？

 **A** テレワークを導入する場合は、一緒に個人情報管理の規程も見直す必要が出てきます。特に、個人情報を社外で扱うことが増えるため、持ち出しのルールも含めたセキュリティ対策を盛り込む必要があります。例えば、テレワークの事前申請時に持ち出す個人情報も一緒に報告させることや、会社以外で個人情報を廃棄させないなどの具体的な禁止事項などを入れておくことも必要です。

 **適切・不適切な対応例**

テレワーク規程

○　適　切	×　不適切
●個人情報管理を盛り込んだテレワーク規程を策定し、周知・活用している	●テレワークの規程は特に定めておらず、自宅での作業は認めていない

 **必要なツール**　◇テレワークモデル就業規則作成の手引き（厚労省）

改善のヒント　◆働き方改革の観点からも、テレワークは導入を検討することが望ましい

■関連法令等

・金融分野における個人情報保護に関するガイドライン第8条第6項

・金融分野における個人情報保護に関するガイドラインの安全管理措置等についての実務指針2－1

キーワード　個人データ管理者等

対象者：経営者（管理者）

要注意度	指摘頻度
★★☆	★★★

（Ⅲ）人的安全管理措置
1. 個人データ管理責任者、個人データ管理者の設置

Q 個人データの管理責任者と個人データ管理者を任命する際の注意点を教えてください。

A 金融事業者は組織的安全管理措置として、「個人データ管理責任者」および「個人データ管理者」を設置し、「個人情報の取扱規程」に記載しておく必要があります。

☞ 個人データ取扱部署が単一の場合は、個人データ管理責任者が個人データ管理者を兼務することができます

☞ 別個登録代理店の場合、個人データ管理責任者は本支店同一（1人）とします

☞ 株式会社組織の場合は、取締役または執行役等の業務執行責任を有する者を「個人データ管理責任者」とする必要があります

適切・不適切な対応例

個人データ管理責任者、個人データ管理者の設置	
○　適　切	✕　不適切
●個人データ管理責任者、個人データ管理者を組織図、役割分担表に明示している	●個人データ管理責任者や個人データ管理者は、特に定めていない

必要なツール

◇顧客情報管理規程（ひな型）

改善のヒント

◆事務に精通している事務職員を個人データ管理者に任命する

■関連法令等

・金融分野における個人情報保護に関するガイドライン第8条第6項
・金融分野における個人情報保護に関するガイドラインの安全管理措置等についての実務指針2-1

履修日　　　年　　　月　　　日

キーワード　個人データの非開示契約

対象者：経営者（管理者）

要注意度	指摘頻度
★★★	★★☆

（Ⅲ）人的安全管理措置
2. 非開示契約の締結、保管

Q 個人データの非開示契約の締結と保管は、すべての従業員が対象ですか?

A 　募集人だけでなく、個人情報を取扱う従業者全員※を対象に非開示契約書を締結する必要があります。保管については、退職者の契約書も対象になります。
※法人代理店の場合は、代表取締役、役員（監査役含む）、契約社員、嘱託社員、派遣社員、臨時雇いのアルバイト、他社からの出向受け入れ者も個人情報を取扱っていれば非開示契約書等の締結対象となるので注意が必要です。一方で個人代理店の代理店主は取付け対象外となります。
　また、非開示契約には懲戒処分や賠償条項を盛り込んでおかねばならず、その内容が就業規則における違反時の懲戒処分と一致しているかを確認しなければなりません。

適切・不適切な対応例

非開示契約書の保管	
○　適切	**✕　不適切**
●個人データ取扱者名簿に基づいて在職者、退職者分を区別して非開示契約書を保管している	●退職者については、退職時に破棄しているため保管していない

必要なツール　◇誓約書兼同意書（ひな型）

改善のヒント　◆非開示契約書に懲戒規程および損害賠償規程を定める

■**関連法令等**
　・金融分野における個人情報保護に関するガイドラインの安全管理措置等についての実務指針2－2、3－1

■**移籍・独立する役職員とのトラブルに備えた顧客情報管理**
　保険代理店から役職員が移籍・独立する際、顧客情報をどちらが利用できるかをめぐって、トラブルになることがあります。その際にしばしば問題となるのが、①当該役職員が顧客から業務で受領していた名刺に記載された顧客情報の取扱いと、②当該役職員が私的に使用している手帳などに記載された顧客情報の取扱いです。具体的には、当該役職員から、①や②のような情報は、会社（保険代理店）が管理していた情報ではなく、自らが管理していた情報だから、自由に利用できる情報だ、という主張がされることがあります。このような主張がされる場合に備えて、社内規則等で①と②も会社に帰属する情報であり、会社が管理しているものであることを明記しておくべきでしょう。

履修日　　　　年　　　月　　　　日

キーワード　周知徹底・教育・訓練

対象者：経営者（管理者）

要注意度	指摘頻度
★★★	★★★

（Ⅲ）人的安全管理措置
3. コンプライアンス教育研修の留意点

Q 見込み先を含む顧客情報取扱をテーマとしたコンプライアンス研修を計画していますが、実施する際の注意点は何でしょうか？

A 　個人情報関連の研修テーマは、①営業系研修、②事務系研修、③コンプライアンス、の大きく３つのカテゴリーに分かれます。①営業系研修の対象は募集人、②事務系研修は主に事務担当者ですが、③コンプライアンス研修はパート、派遣、アルバイト等を含むすべての従業者が対象です。募集資格を持たない従業者も店頭や電話で顧客対応を行うため、顧客情報管理を含めて十分に理解をしておく必要があるからです。さらにコンプライアンス研修の欠席者には研修内容のテキストを渡して自習させることだけでは不十分です。従業者全員が同じレベルで理解するために講師を決めて補講を実施し、いつ実施したかを履修管理簿に記録しておくことが必要です。また、個人データ管理者は研修終了後に理解度確認テストを実施し、理解が不十分な個所や従業員を把握しておくことも重要です。

コンプライアンス研修の実施

○ 適 切	× 不適切
●研修の欠席者には補講を行い、研修履修簿に日付、補講講師名を記載している	●パート、派遣社員は募集人資格を取っていないので、コンプライアンス研修を受講させていない

適切・不適切な対応例

 必要なツール　◇教育研修計画書（ひな型）

 **改善のヒント**
◆教育責任者やコンプライアンス統括責任者などの管理責任者を定め、コンプライアンス教育研修を履行させる

◆保険募集業務に係る法令諸規則等の遵守を基本とした営業活動およびお客さま管理が適正に行われるよう指導、監督および徹底を図る

◆保険業や保険募集業務の法令実務の習得に努める

◆問題等が生じた場合に、所管部署等への迅速な報告を実施し、所管部署等からの指示を受けて、適切な対応を行う

■関連法令等
・金融分野における個人情報保護に関するガイドラインの安全管理措置等についての実務指針３－３

❸

個人情報の取扱い
Q & A

対象者：経営者（管理者）/募集人

キーワード　個人情報の取扱い

要注意度	指摘頻度
★★★	★★★

1. 個人情報取扱い上の注意点①

Q 個人情報の保管・管理等にあたっては、どのような措置を講じる必要がありますか?

A 　個人情報の保管・管理にあたっては、適切な措置（ＩＤ・パスワードの設定・定期的な変更、持出管理簿等による管理）を講じ、次のような措置により、細心の注意を払う必要があります。

・個人情報が記載されている書類やＣＤ-ＲＯＭ等の記憶媒体は施錠のできるキャビネット等に保管し、不在時、退社時には施錠する

・保険業務に使用するパソコンには、ログインパスワードを設定する

・パソコンや電子媒体に顧客情報が含まれるデータファイルを保存する場合は、暗号化やパスワード設定する

・顧客情報が含まれる書類やパソコン、電子媒体（ＣＤ-ＲＯＭ等）を携帯して外出する際は、車内等に放置せず、常時携行する

適切・不適切な対応例

安全管理措置の周知・徹底	
○　適切	✕　不適切
●社内で個人情報の保護に関する法律の安全管理措置をテーマに研修を行っている	●個人情報の保管・管理や取得・利用等は、特に措置や注意喚起していない

必要なツール　◇保険会社等提供の個人情報の保管・管理や取得・利用等に関するマニュアル・ハンドブック

改善のヒント　◆個人情報の保管・管理等についてルールを策定し、研修や勉強会を実施し徹底する

■関連法令等

・金融分野における個人情報保護に関するガイドラインの安全管理措置等についての実務指針３－３

・金融分野における個人情報保護に関するガイドラインの安全管理措置等についての実務指針２－１－２

履修日	年	月	日

対象者：経営者（管理者）/募集人

要注意度	指摘頻度
★★★	★★★

 キーワード　個人情報取扱い

2. 個人情報取扱い上の注意点②

Q 個人情報の取得・利用等にあたっては、どのような措置を講じる必要がありますか?

A 個人情報の取得・利用等にあたっては、次のような措置により、細心の注意を払う必要があります。

・第三者から顧客情報を取得する場合は、適法に取得されたものであることを確認する

・契約締結の際、代理店独自の利用目的がある場合は、当該利用目的もお客さまに明示する

適切・不適切な対応例

安全管理措置の周知・徹底	
○　適　切	✕　不適切
●契約締結の際は、重要事項説明書などを活用して、取得する個人情報の利用目的などを分かりやすく説明している	●契約時に重要事項説明書類は渡しているものの、説明はしていない

必要なツール　◇保険会社等提供の代理店ハンドブックや顧客情報取扱マニュアル、募集コンプライアンスガイド（損保協会版）など

改善のヒント　◆契約時に限らず、見積もり作成などでも個人情報を取得する際は、利用目的や利用範囲を説明する

■関連法令等

・個人情報の保護に関する法律第23条

・金融分野における個人情報保護に関するガイドライン第11条

対象者：経営者（管理者）／募集人

キーワード　個人情報の取得・保管、管理状況の点検

要注意度	指摘頻度
★★☆	★★★

3. 業務用の手帳に顧客情報を記載

Q 募集人が業務で使用している手帳に顧客情報が記載されていますが、問題はありますか？

A 　募集人が保険業務に必要とするお客さまの情報を取得することは、個人情報の保護に関する法律で認められており、氏名、生年月日、住所や過去の病歴・投薬などを確認して手帳に記載することは問題ありません。しかし、いつまでも手帳に記載したままでよいかは別問題です。個人情報の保護に関する法律では、業務に必要がなくなった時点で個人情報は速やかに消去することを定めています。具体的には契約締結時では「契約成立または契約のキャンセル」、事故受付時では保険金給付金の支払い完了時となります。つまり、不要となった時点で手帳に記載された顧客情報は塗りつぶすなどして消去しなければなりません。手帳はパソコンなどと異なりパスワードを掛けて安全管理措置を施すことができないため、もしも社外で紛失や盗難に遭った場合、情報漏えいにつながってしまいます。特に顧客の過去の病歴や投薬歴などの要配慮個人情報が漏えいした場合には顧客から損害賠償を請求されたり、保険代理店の信用失墜につながるリスクがあります。適切に対応するためには、募集人が使用している手帳を毎月の業務点検時に自己点検ではなく、別の募集人との相互チェックまたは管理責任者による点検を行うといった体制を整備することが必要です。

適切・不適切な対応例

個人情報が含まれる手帳の日常的な取扱い	
○　適　切	✕　不適切
●持ち歩かない時は、引き出しやキャビネットに施錠して保管している ●不要な個人情報は直ちに消去している	●個人情報が記載された手帳を机上に置いたまま帰宅している ●不要な個人情報を記載したまま持ち歩いている

必要なツール

◇顧客情報・終業点検チェックシート（ひな型）

改善のヒント

◆個人情報が記載された手帳の取扱ルールを定める

◆手帳も含め定期的な点検のルールを定め、実行する

■関連法令等

・個人情報の保護に関する法律第19条

・個人情報の保護に関する法律第20条

・金融分野における個人情報保護に関するガイドライン

履修日　　　　年　　　月　　　日

対象者：経営者（管理者）/募集人

キーワード　データの管理ルール

要注意度	指摘頻度
★★★	★★★

4. 記録媒体の管理

Q ＵＳＢメモリーやＣＤ-Ｒを提案書作成などの業務に必要なために使用していますが、注意することはありますか？

A 　ＵＳＢメモリーやＣＤ-Ｒなどの記録媒体は大量の個人情報、個人データを保存することが可能なため、情報漏えいを防止するための厳格な安全管理措置が必要となります。業務使用を禁止するルールを策定することも一案ですが、使用を認める場合には個人管理ではなく会社所有物として管理番号を付けるなどして使用管理することが重要です。いつ、誰が、何を保存して、どこに持ち出していることが把握できる管理表を作成することをお勧めします。

適切・不適切な対応例

記録媒体の管理	
○ 適 切	○ 適 切
●USBやCD-Rに保存できないように、専用のソフトウェアを導入している ●社内ルールでUSBを使用する場合のガイドラインを定めている	●個人所有のUSBメモリーに 団体被保険者名簿を入力して外出時に持ち歩いている

必要なツール　◇保険会社等提供の代理店ハンドブックや顧客情報取扱マニュアル、募集コンプライアンスガイド（損保協会版）など

改善のヒント　◆個人のUSBは使用禁止として会社所有のUSBを使用する（管理表作成）

■関連法令等
　・金融分野における個人情報保護に関するガイドラインの安全管理措置等についての実務指針６－２－１－１

対象者：経営者（管理者）／募集人

 キーワード　情報漏えい

要注意度	指摘頻度
★★★	★★☆

5. メール送信時の注意点

 **Q** よく似たお名前のお客さまに満期更改案内のメールを誤送信してしまいました。対応方法と再発防止策について教えてください。

A お客さまの個人情報が含まれるメール本文や添付書類を他人に誤送信してしまうと個人情報漏えいになるので適切な対応が必要になります。まずは誤って送信してしまった相手に事実を伝えて謝罪し、メールの消去を依頼します。合わせて正当に送信する予定であったお客さまにも事実を伝えて謝罪し、改めて本人宛の書類をメール送信します。そして、個人情報漏えい事案について、保険会社に報告し、監督当局に報告が必要か確認してください。

　再発防止策としては、ヒューマンエラーによる発生も極力防止できるメールの誤送信対策が必要です。
（１）類似社名や同姓の登録アドレスには、社名・所在地名を入力し、アドレス選択時に表示させて、視認・確認できるようにする。
（２）メールシステムの拡張機能(Gmail送信前チェッカーなど)の導入により、ポップアップでメールアドレスのTO/CC/BCCや件名、添付ファイル名が表示されるので、送信前にワンクッション置いて確認しないと送信できないようにする。
（３）メールの本文には、お客さまの個人情報やセンシティブ情報などは記載しない。
（４）個人情報が含まれる添付ファイルは、パスワードを設定(システム対応設定または個別設定)し送信する。
（５）メール送信ルールを社員へ周知徹底する。

	メール送信時の取扱	
 適切・不適切な対応例	**○　適　切**	**✕　不適切**
	●メールを送信する際は、メールアドレスのTO/CC/BCCや件名、添付ファイル名などを確認し、送信している	●お客さまがすぐ読めようにお客さまの個人情報を本文に記入し、宛先のメールアドレスをチェックせずに送信している

 **必要なツール**
◇メールのシステムセキュリティツール
(例)Google Chrome拡張機能(Gmail送信前チェッカー)

改善のヒント
◆3つの安全管理措置を組み合わせ対策
(1)機械的(システム)：メールのシステムセキュリティツールの導入など
(2)組織的(ルール)：送信前に宛先のメールアドレスを確認したり、添付ファイルは必ずパスワードを設定するなど
(3)人的(社内周知)：メールを使用する全社員の教育研修など

■関連法令等
・金融分野における個人情報保護に関するガイドラインの安全管理措置等についての実務指針４－４－１

| 履修日 | 年 | 月 | 日 |

対象者：経営者（管理者）/募集人

キーワード　情報漏えい

要注意度 ★★★　指摘頻度 ★★★

6. FAX送信時の注意点

Q お客さまにFAXを送信する時に誤送信してしまいました。対応方法と再発防止策について教えてください。

A 　お客さまの個人情報が含まれる書類をFAXで誤送信してしまうと個人情報漏えいになるので適切な対応が必要になります。まずは誤って送信してしまった相手に事実を伝えて謝罪し、現物の回収を行います。合わせて正当に送信する予定であったお客さまにも事実を伝えて謝罪し、改めて適正な書類を渡すことになります。そして、個人情報漏えい事案について、保険会社に報告し、監督当局に報告が必要か確認してください。

再発防止策としては、原則、ＦＡＸ番号登録先以外のＦＡＸ送信は行わないことです。やむを得ず、登録先以外にＦＡＸ送信を行う場合は、単独でＦＡＸ送信せず、別人による入力番号チェックを行う。または「ＦＡＸ送信状」を使用し、テストＦＡＸを送信する、などのルールを策定することも有効です。

適切・不適切な対応例

FAX送信時の取扱

○ 適 切	× 不適切
●ＦＡＸを送信する際は、ＦＡＸ番号登録先に送信しているが、登録先以外に送信する場合は、「ＦＡＸ送付状（ひな型）」を使用し、テスト送信し、宛先を確認した上でＦＡＸを送信している	●番号入力してＦＡＸ送信する場合に、入力した番号を確認せずに発信している

必要なツール　◇ＦＡＸ送付状（ひな型）

改善のヒント　◆ＦＡＸ機の前に「誤送信の注意喚起文書」を掲示する

■**関連法令等**

・金融分野における個人情報保護に関するガイドラインの安全管理措置等についての実務指針４－４－１

キーワード　情報漏えい

対象者：経営者（管理者）/募集人

要注意度	指摘頻度
★★☆	★★☆

7. 郵便物発信時の注意点

 Q 郵便物を発信する際に注意することは何ですか?

 **A** 郵便物を発信する際には郵便物発信簿を備え付けて記載しておくことが必要です。いつ、誰が、どこに、何を発信したかを記録しておくことです。郵便未着などの事故が発生した場合捜索の証跡となります。特にセンシティブ情報等を含む重要書類を発信する際には受取確認が取れる書留などの特定記録郵便にすることを社内でルール化しておくことが重要となります。

 適切・不適切な対応例

郵便物発信時の取扱い

○　適　切	✕　不適切
●郵便物発信簿を備え付けて重要書類を送付する際には書留などで追跡できるような社内ルールを決めている	●顧客から受け取った告知書や診断書を普通郵便で保険会社に郵送している

 必要なツール

◇郵便物発信簿（ひな型）

 改善のヒント

◆郵便物発信の担当者を決めて記入漏れのないようにする

◆封筒の宛名と封入物の誤挿入対策の一つとして、「窓付き封筒」を使用し、「宛先付送付状」を封入して送付する

■関連法令等

・金融分野における個人情報保護に関するガイドラインの安全管理措置等についての実務指針４－４－１

履修日	年	月	日

 対象者：経営者（管理者）/募集人

キーワード	情報漏えい

要注意度	指摘頻度
★★★	★★★

8. 持ち出しルール

Q 募集人が個人情報や個人データを含む書類を持って顧客先に出掛ける前に持ち出し管理簿に記載していますが、注意することは何ですか？

A あらかじめ決めている管理区域外に個人情報や個人データを含む書類、電子媒体等を持ち出す場合には安全管理措置として適切に持ち出し管理簿を作成、管理することが必要です。管理簿には持ち出した日時、持ち帰った日時、持ち出した内容物、担当者名を記載します。ここで気を付けなければいけないことは管理者による持ち出し時と持ち帰り時の承認です。通常は責任者欄を作って承認印を押印します。

適切・不適切な対応例

個人データを持ち出す場合

○　適　切	×　不適切
●個人情報を社外に持ち出す際には持ち出し管理簿に記載して上席者の承認を受け、持ち帰った時には紛失がないことを確認してもらっている	●特に誰にも言わずに個人データを持ち出している

必要なツール

◇個人データ社外持出管理簿（ひな型）

改善のヒント

◆募集人が外出する際に社長または管理者が営業かばんの中身を抜き打ち点検する

■関連法令等

・金融分野における個人情報保護に関するガイドラインの安全管理措置等についての実務指針 6－2－1－1

対象者：経営者（管理者）/募集人

要注意度	指摘頻度
★★☆	★★★

キーワード　個人データの保存、受信メールの取扱い

9. 受信メールに個人データを含むファイル添付

Q 募集人がお客さまや保険会社から受信したメールをいつまでも保存していますが管理上の問題はありますか？

A 外部からの受信メールについては法令によって保存期間を明示してありませんが、いつまで保存するかは社内ルールで決めておくことが望ましいと思われます。ただし、受信メールに個人情報が記載されていたり、個人データを含むファイル（Excel、Wordなど）が添付されている場合には適正な管理が必要となります。特にセンシティブ情報等が含まれる場合にはより厳格な管理が求められます。保険代理店として業務に必要とされる期間は保存することを認められていますが、不要となった時点で速やかに消去しなければなりません。また、被保険者名簿などの個人データの場合には適切な安全管理措置が求められるため、業務に必要な期間であっても個人データ管理台帳に記載し、メールに添付したままにせずパソコンの所定フォルダにパスワードを設定して保存することが必要となります。代理店監査において募集人のメールを実査すると大量の受信メールが保存されていることが多いようですが、社内ルールを定めて一定期間を超えてメールを保存しない、あるいは毎月の自主点検でチェックするなどの体制を整備することが重要です。

適切・不適切な対応例

個人データが含まれる添付ファイルを保存する場合

〇　適　切	✕　不適切
●センシティブ情報等があるメールは、専用のフォルダにパスワードを設定して保存している ●個人データを扱うパソコンは限定している	●個人データを扱うパソコンを同一のアカウントで共有している

 必要なツール

◇個人データ管理台帳

 **改善のヒント**

◆個人情報が含まれた受信メールや添付ファイルの取扱ルールを必ず定める

◆個人データを取扱うパソコンについては適切なセキュリティを確保する

■関連法令等

・個人情報の保護に関する法律第19条

・個人情報の保護に関する法律第20条

・金融分野における個人情報保護に関するガイドライン

履修日　　　年　　月　　日

キーワード　個人情報の取扱い

対象者：経営者（管理者）/募集人

要注意度	指摘頻度
★★☆	★★★

10. 個人情報を含む書類の廃棄

Q 執務室内のゴミ箱に個人情報が記載された書類が廃棄されているのを見かけますが、このままで大丈夫でしょうか？

A 執務室内のゴミ箱に一般ゴミと一緒に申込書の写し、設計書の写しなど個人情報を含む書類を廃棄してはいけません。個人情報を含む書類は専用のゴミ箱に廃棄して毎日退社時にシュレッダー処理するなどして社内に放置しないように十分に気を付ける必要があります。管理者は個人情報管理の点検項目にゴミ箱のチェックを入れて定期的に不適物が廃棄されていないかを点検することが必要です。

適切・不適切な対応例

個人情報が記載された書類の廃棄

○ 適 切	✕ 不適切
●一般ゴミと個人情報を含む書類の廃棄用のゴミ箱を区分して、退社時には個人情報を含む書類はシュレッダーしている	●ゴミ箱に個人情報が記載された書類を廃棄してそのまま退社している

必要なツール ◇保険会社等提供の代理店ハンドブックや顧客情報取扱マニュアル、募集コンプライアンスガイド（損保協会版）など

改善のヒント ◆個人情報を含む書類は一般ゴミと一緒に廃棄しないことを社内で周知徹底する

■**関連法令等**

・金融分野における個人情報保護に関するガイドラインの安全管理措置等についての実務指針４－４－１

対象者：経営者（管理者）/募集人

キーワード　個人情報の取扱い

要注意度	指摘頻度
★☆☆	★★★

11. 日報管理

 Q 最近、代理店業務の効率化のために保険代理店専用の管理システムを導入しました。勤怠管理や契約管理と一緒に募集人の行動管理として日報記載をルール化しています。顧客対応記録としても活用していますが、何か注意することはありますか？

 **A** 　クラウドシステムを利用する代理店業務の管理システムを導入する代理店が増えてきています。ご質問のようにカレンダーの備考欄を使用して顧客対応記録としている代理店、募集人の方がいますが、個人情報を記録、保存したままにすることは適切ではありません。業務に不要となった個人情報をそのまま保管、保存することは個人情報の保護に関する法律上、不適切です。随時、個人情報は消去するようにしてください。

 適切・不適切な対応例

日報の管理	
○　適　切	✕　不適切
●業務に不要となった顧客情報は日報から消去している	●代理店管理システムの日報記載欄に顧客の氏名、電話番号、生年月日を記録、保存している

 必要なツール　◇保険会社等提供の代理店ハンドブックや顧客情報取扱マニュアル、募集コンプライアンスガイド（損保協会版）など

 **改善のヒント**　◆情報管理担当者は募集人の日報を点検チェックして不要な顧客情報が残されていないか確認する

■関連法令等
・個人情報の保護に関する法律第15条
・個人情報の保護に関する法律第16条

履修日	年	月	日

対象者：経営者（管理者）／募集人

キーワード　個人情報の取扱い

要注意度	指摘頻度
★★☆	★★★

12. 保険契約内容の問い合わせ

Q 給付金請求をされたお客さまの配偶者から給付金の支払額と保険内容について問い合せがあったのでお知らせしましたが問題はありますか？

A 同居の親族の方といえども契約者本人の同意なく保険金、給付金内容や契約内容を知らせることは禁止されています。親族間であってもセンシティブ情報等を漏らすという重大な事態となるので必ず契約者本人から連絡、問い合せを行うよう説明し、社内に徹底することが必要です。

適切・不適切な対応例

契約内容問い合せへの対応	
○　適　切	✕　不適切
●親族から契約内容の問い合わせが有った場合、本人から連絡するよう依頼している	●同居の親族から電話があり、とても急いでいたので、契約本人の承認を得ることなく医療保険で入院給付金を請求された内容についてお知らせした

必要なツール　◇保険会社等提供の代理店ハンドブックや顧客情報取扱マニュアル、募集コンプライアンスガイド（損保協会版）など

改善のヒント　◆不適切な対応が行われないようトークスクリプトなどを作成して、適切に対応が行われているかをロープレでチェックする

■関連法令等

・個人情報の保護に関する法律第23条

キーワード　個人情報の取扱い

対象者：経営者（管理者）／募集人

要注意度	指摘頻度
★★☆	★★☆

13. メールアドレスの漏えい

Q 顧客に向けて代理店ニュースを定期的にメールで配信していますが、何に注意すれば いいですか？

A 　顧客向けに定期的に代理店ニュースを冊子やメルマガで発信している代理店が増えていますが、特に注意することは以下の点になります。

・顧客のトピックスを紹介するときには、個人情報を掲載することと掲載文の内容について本人の承諾を得ること

・メルマガ配信や特定のグループにメールを送信する場合には配信先のメールアドレスは「BCC」に設定して受信した方にメールアドレスを知られないようにする

（「CC」に設定して送信すると顧客のメールアドレスを漏えいしたことになり、大きな苦情に発展することがあるので細心の注意を払う必要があります）

適切・不適切な対応例

代理店ニュースやメルマガの作成・配信	
○　適　切	✕　不適切
●顧客にメルマガを配信する際に顧客のアドレスはグループ登録しているものをBCCで配信している	●代理店ニュースに顧客の同意を得ずに顔写真を掲載してしまった ●メルマガを配信するときに顧客のメールアドレスを誤ってCCで送信してしまった

必要なツール

◇保険会社等提供の代理店ハンドブックや顧客情報取扱マニュアル、募集コンプライアンスガイド（損保協会版）など
◇メールのシステムセキュリティツール
(例)Google Chrome拡張機能(Gmail送信前チェッカー)

改善のヒント

◆代理店ニュースやメルマガの作成や配信について従業員間でルールを共有化し、ダブルチェックを行う

■関連法令等

・個人情報の保護に関する法律第20条

履修日	年	月	日

対象者：経営者（管理者）/募集人

要注意度	指摘頻度
★★☆	★★☆

キーワード　個人情報の取扱い

14. 車検証（写し）の保管

Q 自動車保険の契約管理のために車検証の写しをキャビネットに保管していますが、問題はありますか？

A 車検証には契約者（所有者）の氏名、住所が記載されているので個人情報となります。自動車保険の契約締結に必要なため顧客の同意を得て取得することは問題ありませんが、契約が成立後は必要ではないので顧客に返却、廃棄することが必要です。契約の成立後もそのまま写しを保管している場合は不適切な行為となります。

適切・不適切な対応例

車検証（写し）の取扱い	
○　適　切	✕　不適切
●契約手続きが終了したら車検証の写しは廃棄している	●自動車保険の契約管理のために車検証の写しを契約の成立後もそのまま保管している

必要なツール　◇保険会社等提供の代理店ハンドブックや顧客情報取扱マニュアル、募集コンプライアンスガイド（損保協会版）など

改善のヒント　◆車検証の写しがキャビネットにファイリングされていないかを点検項目に追加する

■関連法令等

・個人情報の保護に関する法律第19条

■次年度継続手続きや車両入れ替え時に必要な場合でも顧客から保管について同意を取り付けて、施錠キャビネットなどで厳重管理する必要があります。

対象者：経営者（管理者）／募集人

 キーワード　個人情報の取扱い

要注意度	指摘頻度
★★☆	★★☆

15. 個人所有パソコンでのデータ共有

Q 当社の募集人は個人データをUSBメモリーに保存して自宅に持ち帰り、個人所有のパソコンで作業を行うことがあります。注意することは何ですか？

A 　個人データを自宅に持ち帰り個人所有のパソコンで作業を行う場合に注意しなければならないことは以下のとおりです。

・個人データを持ち出すことについて社内規則が策定されていて、上席者の事前承認が得られている

・ＵＳＢメモリーを業務使用して社外に持ち出す場合の社内規則が策定されている

・個人所有のパソコンには一切個人データを保存しないようにする

適切・不適切な
対応例

個人所有のパソコンの取扱い	
○　適　切	✗　不適切
●ノートパソコンを自宅に持ち帰り仕事をする際には、社内ルールに従い上席者の承認を受けている	●上席者の承認を得ずに個人データをUSBメモリーに保存して自宅に持ち帰り作業を行っている ●個人所有のパソコンを廃棄処分する際に保存データを十分に消去せずに廃棄業者に渡した

必要な
ツール

◇保険会社等提供の代理店ハンドブックや顧客情報取扱マニュアル、募集コンプライアンスガイド（損保協会版）など

◇テレワークモデル就業規則作成の手引き（厚労省）

改善の
ヒント

◆パソコン等の持ち出しルールを策定して募集人に周知徹底する

■関連法令等

・金融分野における個人情報保護に関するガイドライン第8条第5項（2）

■個人所有のパソコンは自宅で家族共有されていると思われるので業務で必要なファイルには専用フォルダに保管する、パスワードを設定するなどの安全管理措置を講じてデータが誤って消去、滅失しないようにすることが必要です。

履修日　　　　年　　　月　　　日

対象者：経営者（管理者）/募集人

要注意度	指摘頻度
★☆☆	★★☆

🔑 キーワード　　個人情報の取扱い

16. 記録媒体廃棄時のルール

Q 執務室内のキャビネットに顧客情報を含むＣＤ-Ｒが大量に保管されていますが、不要になった場合の処理方法はどうすればよいですか？

A 顧客情報を含む不要となったＣＤ-Ｒなどの記録媒体を長期に保管していると誤って個人情報の漏えいリスクがあるので廃棄することが必要です。廃棄の仕方としてはシュレッダー等による裁断やハサミなどで切れ込みを入れるなどの破壊処理を行うことが適切です。

適切・不適切な対応例

記録媒体の廃棄	
○　適　切	✕　不適切
●ＣＤ-Ｒを廃棄する際にはシュレッダーで裁断するか、ハサミで切れ込みを入れている	●顧客情報を含むＣＤ-Ｒを一般ゴミと一緒に廃棄している

必要なツール
◇保険会社等提供の代理店ハンドブックや顧客情報取扱マニュアル、募集コンプライアンスガイド（損保協会版）など

改善のヒント
◆ＣＤ-Ｒなどの記録媒体の廃棄は個人データ管理者が一括して行うルールとする

■**関連法令等**
・個人情報の保護に関する法律第１９条
・金融分野における個人情報保護に関するガイドライン第８条第５項（2）
・金融分野における個人情報保護に関するガイドラインの安全管理措置等についての実務指針６－５

■募集人が業務でUSBを使用しているケースも有るので、所有の実態把握と廃棄時のルールを策定することが必要です。

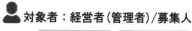
対象者：経営者（管理者）/募集人

要注意度	指摘頻度
★☆☆	★★★

🔑 キーワード 顧客情報管理

17. 適正な代理店事務所レイアウト

Q 顧客情報管理のために事務所レイアウトで気を付けることはどんなことですか？

A 顧客情報の漏えいを防止するためには、①関係者以外は事務スペースに立ち入れないようにレイアウトする、②接客中のお客さまから個人情報やパソコン画面が見えないように配置をする、ことが基本です。具体的な事務所レイアウトの例は以下のとおりです。

・施錠可能なキャビネットを配置して個人情報を含む書類は退社時に保管する

・個人情報を含む書類、帳票は店頭客の目に付かない場所に保管する

・入り口と執務室の間にカウンターを設置して顧客対応を行う

・顧客は執務室内に案内せず、執務室と区分した応接室で応対する

🔍➕ 適切・不適切な対応例	**事務所のレイアウト**	
	○ 適 切	✕ 不適切
	●店頭カウンターの来客から執務室の机上が見られないようにパーテーションで仕切っている	●店頭カウンターからパソコンを覗き見ることができる

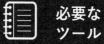
◇保険会社等提供の代理店ハンドブックや顧客情報取扱マニュアル、募集コンプライアンスガイド（損保協会版）など

◆店頭カウンターと執務室とのスペースを取る

◆店頭カウンターから見える場所に申込書類などの重要書類を置かない

■関連法令等

・個人情報の保護に関する法律

■来店者から執務室内が閲覧できる状態のレイアウトは顧客情報が盗み見（情報漏えい）されるリスクがあります。

| 履修日 | 年 | 月 | 日 |

 対象者：経営者（管理者）／募集人

 キーワード　顧客情報管理

| | 要注意度 | 指摘頻度 |
| | ★★☆ | ★★☆ |

18. 顧客カードの保管

Q 契約の継続管理として「顧客カード」を作成して保管しています。適切に管理するにはどのようにすれば良いですか？

A 世帯管理として「顧客カード」に家族全員の名前、生年月日、既契約などを記載して管理されていることがありますが、「顧客カード」は個人データとなりえます。個人データ管理台帳に保管場所を記載して、保管場所は施錠キャビネットなどで厳重に管理する必要があります。医療保険や傷害保険などの第三分野で保険金・給付金の請求歴を記載することは要配慮個人情報を記載することになりうるので慎重な対応をとることが重要です。顧客カードで契約管理されている場合は記載されている内容を確認して不適切な記載がある場合には消去、廃棄することが必要となります。

 適切・不適切な対応例

顧客カードの取扱い	
○ 適 切	✕ 不適切
●顧客カードを保管するキャビネットを特定して個人データ管理台帳に登録している	●世帯単位で顧客カードを作成して契約管理を行っているが、個人データ管理台帳には記載していない

 必要なツール

◇保険会社等提供の代理店ハンドブックや顧客情報取扱マニュアル、募集コンプライアンスガイド（損保協会版）など

 改善のヒント

◆顧客カードを個人キャビネットで保管している場合には紛失を防ぐために決められたキャビネットに保管する

■関連法令等

・個人情報の保護に関する法律

キーワード　**マイナンバー**

対象者：経営者（管理者）／募集人

要注意度	指摘頻度
★★☆	★★★

19. マイナンバー（個人番号）の取扱い

Q 積立保険の満期返戻金支払いのために本人確認として契約者より個人番号カードの写しを受領しました。注意しなければいけないことは何ですか？

A お客さまのマイナンバー（個人番号）を代理店の募集業務等において取扱うことはありません。本人確認書類として預かってしまった場合には必ず記載されているマイナンバーを塗りつぶすか、返却します。

適切・不適切な対応例

マイナンバーの取扱い	
○ 適 切	**✕ 不適切**
●顧客のマイナンバーは社内ルールで一切受け取らないことにしている	●本人確認のため預かったマイナンバーが記載された通知カードの写しを満期返戻金の書類と一緒にそのまま保管している

 必要なツール ◇保険会社等提供の代理店ハンドブックや顧客情報取扱マニュアル、募集コンプライアンスガイド（損保協会版）など

 **改善のヒント** ◆定期的な社内点検で情報管理担当者はキャビネットのファイリングを点検する

■**関連法令等**

・個人情報の保護に関する法律

履修日　　　年　　　月　　　日

対象者：経営者（管理者）/募集人

キーワード　クレジットカード

要注意度	指摘頻度
★★★	★★★

20. クレジットカード情報の取扱い

Q 保険料の支払いでクレジットカードを使用されるお客さまがいます。注意しなければいけないことは何ですか？

A 個人情報保護委員会のQ＆Aによると、クレジットカードの番号は個人識別符号に位置付けてはいませんが、その他の情報を合わせて個人が特定できた場合は個人情報にあたるとして、取扱いについては注意が必要とされています。これまでの個人情報漏えい事件を振り返ると、クレジットカード情報の漏えいはお客さまに大きな被害を与えており、企業の信頼も失墜させていますので、個人識別符号に該当しなくても、取扱いには細心の注意が必要です。

適切・不適切な対応例

クレジットカードの取扱い

◯　適　切	✕　不適切
●クレジットカード番号が記載された控えは契約成立後、直ちに廃棄している	●クレジットカード番号が記載されていても、今後必要になるかもしれないので、そのまま保管している

必要なツール
◇保険会社等提供の代理店ハンドブックや顧客情報取扱マニュアル、募集コンプライアンスガイド（損保協会版）など

改善のヒント
◆定期的な社内点検で情報管理担当者はキャビネットのファイリングを点検する

対象者：経営者（管理者）/募集人

要注意度	指摘頻度
★★★	★★★

キーワード　テレワーク

21. 社外での個人情報の利用（テレワーク時の利用者の注意点）

Q テレワークで自宅の自己所有のパソコンを使用して業務を行っていますが、注意することは何ですか。

A 　自己所有のパソコンは家族で共有していると思われます。家族が使用時に誤って業務で作成したデータやファイルを誤って消去、滅失する恐れがあるので、本人専用のフォルダにパスワードや保護を掛けて格納することが必要です。また、公衆回線を利用して会社のサーバーと繋げてデータを授受する場合、外部からのハッカー攻撃を受ける恐れがあるので、最新のウイルス対策ソフトがインストールされていることを確認することが重要です。

適切・不適切な対応例

テレワーク（在宅勤務）の注意点

○　適　切	✕　不適切
●自己所有のパソコンを使用する場合、使用ルールを家族に周知している ●最新のウイルス対策ソフトをインストールしている	●デスクトップに家族共有でファイルを保存している ●ウイルス対策ソフトをインストールしていない、最新の状態に更新していない ●自宅のパソコンで海外サイトにアクセスしてウイルス感染しているままで業務使用している

必要なツール

◇適正なウイルス対策ソフトの導入

◇自己所有パソコンの業務使用ルール（ひな型）

◇毎月・毎週点検シート（ひな型）

改善のヒント

◆毎日、業務終了後に自己点検、チェックを励行する

■関連法令等

・個人情報の保護に関する法律第20条

履修日　　　　年　　　月　　　日

キーワード　フリーメールアドレス

対象者：経営者（管理者）

要注意度	指摘頻度
★★☆	★★☆

22. フリーメールアドレスの業務利用は原則禁止

Q 募集人の一部が業務でフリーメールアドレスを使用しています。問題ありますか？

A フリーメールアドレスの業務利用は原則禁止です。一般的にフリーメールアドレスよりもプロバイダのメールアドレスの方が安全性は高いと言われています。設備投資など企業の機密情報やセンシティブ情報等を扱う機会の多い保険代理店にとっては、できる限り安全性の高いメールを使用するに越したことはありません。

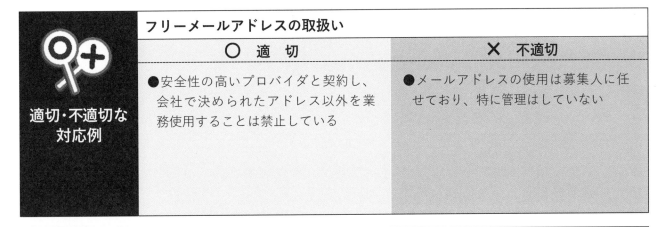

適切・不適切な対応例

フリーメールアドレスの取扱い	
○　適　切	✕　不適切
●安全性の高いプロバイダと契約し、会社で決められたアドレス以外を業務使用することは禁止している	●メールアドレスの使用は募集人に任せており、特に管理はしていない

必要なツール ◇メールアドレス管理簿（ひな型）

改善のヒント ◆従業員のメール利用については物理的対策と教育の両面から実行する

■**関連法令等**
・個人情報の保護に関する法律第20条

■テレワーク時に自宅で自己所有のパソコンを使用する場合、フリーメールアドレスを使用して会社のサーバーにアクセスするとウイルス感染する恐れが有るので適正にウイルス対策が行われているかの点検チェックが重要です。

キーワード　情報漏えい

対象者：経営者（管理者）／募集人

要注意度	指摘頻度
★☆☆	★★☆

23. パソコンの管理（付箋の管理）

 Q 執務室内のパソコンに付箋を貼っていますが、注意することはありますか？

 **A** 　パソコンに付箋を貼り付けて業務を行っているケースが散見されますが、管理者は以下の点に注意して付箋に記載された内容をチェックすることが重要です。

・付箋に自分のパソコンのID、パスワードが記載されていないか

　☞ ID、パスワードが記載されていると他人が容易にパソコンを開くことができるので個人情報漏えいのリスクがあります

・付箋に顧客の氏名、電話番号などの個人情報が記載されていないか

　☞ 個人情報が放置されていることと同じ状態で、個人情報漏えいのリスクがあります

適切・不適切な対応例	ID・パスワードや個人情報の取扱い	
	○　適　切	×　不適切
	●社内で終業点検をルール化して退社時に机上、パソコンに付箋が貼っていないかをチェックしている	●パソコンに個人のID、パスワードや顧客の個人情報が記載された付箋を貼り付けている

 必要なツール　◇毎月・毎週点検シート（ひな型）

 改善のヒント　◆社内ルールで毎日自己点検、相互点検を行い不要な付箋が貼られていないかをチェックする

■**関連法令等**

　・社内規則の懲戒処分など(処分理由：不正アクセスまたは守秘義務違反)

■パソコンの予測変換、キャッシュによる自動入力など、便利な機能がアダになることもあります。特に、パソコンを複数の社員でシェア（共有）している場合、注意が必要です。

4

センシティブ情報の取扱い
（要配慮個人情報を含む）
Q & A

対象者：経営者（管理者）/募集人

 キーワード　個人情報の保管、センシティブ情報の取扱い

要注意度	指摘頻度
★★★	★★☆

1. センシティブ情報等を含む書類のファイリング

Q 契約締結後にお客さまからの問い合わせに対応するため、申込書、告知書の写しや事故受付後に診断書の写しを事務所のキャビネットに保管しています。この取扱いに問題はありますか？

A 個人情報の保護に関する法律では保険代理店は契約引き受け業務や保険金・給付金支払い業務に必要なためにお客さまの情報について同意を得たうえで取得することを認めています。しかし、生命保険の告知書や保険金支払いに必要な診断書にはお客さまの病歴などの要配慮個人情報（センシティブ情報）が記載されているため、万が一紛失や情報漏えいがないように十分な管理が必要です。また、いつまで保険代理店が保管できるかが重要です。個人情報の保護に関する法律では業務に必要がなくなった時点で個人情報は速やかに消去することを定めています。具体的には契約締結時では「契約成立または契約のキャンセル」、事故受付時では保険金給付金の支払い完了時となります。保険代理店としてお客さま対応をするうえで様々な情報を保管、保存していたいことは理解できますが、万が一の情報漏えいを考慮すると適正な「出口管理」が重要になります。

適切・不適切な対応例

個人情報をキャビネットで保管する場合	
○　適　切	✕　不適切
●使用者が指定された施錠できるキャビネットを備えている	●施錠できないキャビネットに個人情報を保管している
●退出時・外出時には必ず施錠している	●退出時・外出時にキャビネットの施錠をしていない

 必要なツール

◇個人データ管理台帳
◇個人データの取扱状況の点検及び監査に係る規則（ひな型）

 改善のヒント

◆個人情報の保管ルールを必ず定め、センシティブ情報等の取扱・保管については、特に注意する

◆個人情報を保管するキャビネットや引き出しは施錠ができるものを使用する

■関連法令等

・個人情報の保護に関する法律第2条第3項
・個人情報の保護に関する法律第16条
・個人情報の保護に関する法律第19条
・金融分野における個人情報保護に関するガイドライン第5条2項・3項
・保険業法第294条3

履修日	年	月	日

対象者：経営者(管理者)/募集人

 キーワード　要配慮個人情報

要注意度	指摘頻度
★★☆	★★★

2. 健康診断の結果の管理

Q 当社の募集人は生命保険の引き受けの際に、申込人から受領した健康診断結果通知書の写しを保管していますが、問題はありますか？

A 保険会社で適正な引き受けを行うために申込人から健康診断結果通知書の写しを預かることは業務に必要なために正当な行為ですが、センシティブ情報となる健康診断の結果を契約成立後も保管することは不適切です。契約成立後、速やかに返却する、消去することが重要です。

適切・不適切な対応例

健康診断結果通知書の取扱い

○ 適 切	× 不適切
●生命保険引受のために取得した健康診断結果通知書は、契約成立後にお客さまに返還している	●生命保険の申込書の写しと一緒に健康診断結果通知書の写しをファイリングしている

必要なツール

◇情報セキュリティ自己診断（情報処理推進機構）

改善のヒント

◆定期的な社内点検で情報管理担当者はキャビネットのファイリングを点検する

■関連法令等

・個人情報の保護に関する法律第2条第3項
・個人情報の保護に関する法律第19条

対象者：経営者（管理者）／募集人

キーワード　要配慮個人情報

要注意度	指摘頻度
★★★	★★★

3. 診療報酬明細書の保管

Q 自動車保険の保険金支払完了ファイルにお客さまが治療した際に病院から受領した診療報酬明細書の写しを保管しています。問題はありますか？

A 病院が発行する診療報酬明細書は病気や怪我の治療に必要な医師による治療、施術内容や処方する調剤が記載されているため個人情報の保護に関する法律では要配慮個人情報とされており取扱いに注意が必要です。保険金支払後には業務に不要とされるので保管しておくことは不適切になります。

適切・不適切な対応例

診断書や診療報酬明細書の管理	
○　適　切	✕　不適切
●保険金・給付金支払が完了したら、指定施錠箇所に保存のマスキングした診断書や診療報酬明細書は廃棄している	●保険金支払ファイルに診断書や診療報酬明細書の写しをそのまま保管している

必要なツール
◇情報セキュリティ自己診断（情報処理推進機構）

改善のヒント
◆社内ルールで診断書等の写しの保管を禁止する
◆社内の定期点検でファイリング書類のチェックを行う

■関連法令等
・個人情報の保護に関する法律第2条第3項
・個人情報の保護に関する法律第19条

<table>
<tr><td>履修日</td><td>　　　年</td><td>　　月</td><td>　　日</td></tr>
</table>

対象者：経営者（管理者）/募集人

キーワード　要配慮個人情報

要注意度	指摘頻度
★★★	★★★

4.「犯罪被害情報」の取扱い

Q 要配慮個人情報の取扱いについて、損害保険の事故受付時に注意することはありますか？

A 個人情報の保護に関する法律では要配慮個人情報という一段高い規律が規定されています。その中に「犯罪被害情報」がありますが、保険契約者が例えば放火や盗難、傷害事件の被害者になった場合、また自動車事故でも加害者の飲酒運転や危険運転などにより被害を受けて事故受付を行った場合には「犯罪被害情報」に該当し「要配慮個人情報」となるため事故受付情報の管理は厳格にしなければなりません。保険金が支払完了となれば、当該情報は業務に必要でなくなるため速やかに消去、廃棄することが必要です。

事故受付表の取扱い	
○　適　切	○　適　切
●事故受付表は施錠キャビネットに保管して退社している ●支払完了後に書類を保管する場合には「犯罪被害情報」を消去している	●事故受付表を机上に放置したままにしている ●保険金支払完了後に犯罪被害情報を記載されたまま事故受付表をファイリングしている

適切・不適切な対応例

必要なツール

◇情報セキュリティ自己診断（情報処理推進機構）

改善のヒント

◆犯罪被害に遭った事故受付表（情報）は個別に管理する

◆社内の定期点検で事故受付表のチェックを行う

■関連法令等
・個人情報の保護に関する法律第2条第3項

■保険会社の支払査定部署で支払書類は保管されているので、支払完了した事故受付表を速やかに廃棄するルールの検討も必要です（二重管理の解消）

センシティブ情報

要注意度	指摘頻度
★★★	★★★

5. 労働組合への加盟情報の管理

Q 法人契約をいただいているお客さまから新規で労働組合を契約者として組合員を被保険者とする団体保険の締結を行いました。注意することはありますか？

A 　金融分野ガイドラインにおける機微（センシティブ）情報は「労働組合への加盟」情報について対象としています。被保険者名簿、被保険者証はセンシティブ情報となるので厳格な管理が必要となります。被保険者名簿の写しを事務所内に保管する場合には契約者である労働組合に**同意を得た上で**厳重な管理を行う必要があります。

適切・不適切な対応例

労働組合員の保険契約	
○　適切	✕　不適切
●名簿を保管する際には個人データ管理台帳に「センシティブ情報」のチェックを入れている	●見積書作成のために預かった組合員名簿の写しを返送する際、普通郵便で郵送した

必要なツール　◇個人データ管理台帳

改善のヒント　◆個人データ管理台帳に「労働組合契約」であることを明示して「センシティブ情報」のチェックを入れる

■**関連法令等**

・金融分野における個人情報保護に関するガイドライン第5条第1項

■労働組合員の加入者名簿を社内で保管する必要が有るかを検討して、必要でなければ返却または廃棄することが適切な対応です。

履修日	年	月	日

 対象者：経営者（管理者）/募集人

 キーワード　**センシティブ情報**

要注意度	指摘頻度
★★★	★★☆

6. センシティブ情報等を含むアンケートの管理

Q 生命保険に加入を希望する見込み客から意向把握するために募集人がアンケートを依頼して、提案書を作成しています。提案後は特にルールを定めていないので募集人が個人的に管理しています。注意することはありますか？

A 生命保険に加入するために意向を把握するアンケートで過去の病歴や現在の健康状態を質問項目にしている場合はセンシティブ情報を取得したことになるので厳重な管理が必要です。契約成立後またはキャンセルになった場合には保管しておくことは不適切となるのでセンシティブ情報が含まれるアンケートの場合には廃棄することが必要です。

 適切・不適切な対応例

センシティブ情報を含むアンケートの取扱い

○　適　切	✕　不適切
●センシティブ情報を含むアンケートは施錠キャビネットに処理が終わるまで一時保存している ●不要となったアンケートは速やかに廃棄している	●センシティブ情報を含むアンケートを募集人の脇机で個人が保管している

 必要なツール

◇個人データ管理台帳

◇個人データの取扱状況の点検および監査に係る規則（ひな型）

 改善のヒント

◆意向把握のためのアンケートは保管期限を社内ルールで決めておく

■関連法令等

・個人情報の保護に関する法律第2条第3項

・個人情報の保護に関する法律第19条

キーワード　要配慮個人情報

対象者：経営者（管理者）/募集人

要注意度	指摘頻度
★★☆	★★★

7. 障がい者契約の取扱い

Q 障がい者の契約を取扱うことになりましたが、保険代理店として個人情報管理の観点から注意することは何ですか？

A 　個人情報の保護に関する法律では身体障害、知的障害、精神障害等を要配慮個人情報として定義して厳格な管理を義務付けています。募集人が当該者についての情報を本人より取得して保険の締結を行う際には障がいの内容等について業務に必要でなくなった時点（契約の成立、キャンセル）で消去することが重要です。

適切・不適切な対応例

障がい者対応	
○ 適 切	✕ 不適切
●障がい者から保険引き受けのため取得した障がい内容は契約が成立後に速やかに手帳から消去している	●業務用手帳に障がいの内容について記載(障害者手帳の写し保管)したままで消去することを失念した

必要なツール　◇情報セキュリティ自己診断（情報処理推進機構）

改善のヒント　◆定期的な社内点検で業務用手帳の内容を情報管理責任者または募集人相互でチェックする

■関連法令等

・個人情報の保護に関する法律第２条第３項
・個人情報の保護に関する法律第１９条

■障がい者対応を正確に理解するために社内で研修を実施することが必要です。障害の部位（視覚、聴覚、身体、精神）により対応方法は異なるので事務担当者も含めて従業者全員が適正な対応を理解することが必要です。

履修日　　　年　　　月　　　日

 キーワード 要配慮個人情報

対象者：経営者（管理者）/募集人

要注意度	指摘頻度
★★☆	★★★

8. 損保第三分野商品の代理店控え

 Q 損害保険契約（所得補償保険や医療保険等）で健康状態や病歴等が記載された申込書や告知書等の控えは、どのように取得・保管すればよいですか?

A 健康状態や病歴等が記載された書類はセンシティブ情報となりますが、保険契約引受のため業務上必要な範囲で取得し保存することは可能です。ただし、不要なセンシティブ情報はマスキングを行い、契約の成立や支払い処理などが完了し必要がなくなったら適正に廃棄(消去)処理することが必要です。

適切・不適切な対応例

センシティブ情報の取得・保存	
○　適　切	×　不適切
●センシティブ情報を保存する際には個人データ管理台帳に「センシティブ情報」のチェックを入れている ●センシティブ情報を含む書類は指定施錠キャビネット等に一時保存している ●不要となったアンケートは速やかに廃棄している	●センシティブ情報を含む書類やメモは募集人の脇机で個人が保管している

 必要なツール
◇個人データ管理台帳（ひな型）
◇情報セキュリティ自己診断（情報処理推進機構）

 **改善のヒント**
◆定期的な社内点検で机の引き出しや個人管理のキャビネットなどを情報管理責任者または募集人相互でチェックする

■関連法令等
・保険業法第294条第3項

■損保商品は代理店控えを所定の保管期限まで保管しておかなければならないので傷病名などのセンシティブ情報が記載されていても廃棄することはできないので注意が必要です。

5

個人データの外部委託
Q & A

キーワード　　外部委託

対象者：経営者（管理者）

要注意度	指摘頻度
★☆☆	★★☆

1. 外部委託する場合の注意点（委託契約書（覚書・念書等）等締結・確認）

Q 個人データの取扱いを外部業者に委託する場合とは、どのようなケースが想定されますか？

A 外部委託には、大きく分けて個人データを提供する場合と保険業務の一部を外部委託する場合があります。分かりやすいケースとしては、個人データを含む書類の倉庫保管や産業廃棄物処理業者に廃棄(溶解・焼却)処理を委託するケースですが、それ以外にも年賀状や挨拶状などの宛名書きや印刷など、また情報システム事業者にパソコンの保守メンテなどを外部委託する場合、お中元やお歳暮をデパートなどに発注するケースなどが考えられます。ここで注意しなければいけないことは募集人がルールを知らずに自己負担で上記のようなケースを責任者に報告せずに行っている場合です。社内に周知徹底して未然に防止することが重要です。

	個人データの取扱を外部委託する場合	
適切・不適切な対応例	○ 適 切	✕ 不適切
	●店主や責任者が募集人にヒヤリングを行い、外部委託について実態を把握し、外部委託する場合の事前報告を社内に周知徹底している	●責任者に報告せずに顧客リストを宛名書き業者に提供して、年賀状の宛名書きを外部委託している

必要なツール
◇個人データの外部委託に係る規則（ひな型）
◇外部委託先管理台帳(ひな型)

改善のヒント
◆個人データの外部委託に関する社内研修を実施して周知徹底を図る

■関連法令等
・個人情報の保護に関する法律第22条

■保険会社への事前承認の対象となる外部委託業者は保険会社により異なるので乗合代理店の場合には所属保険会社に確認することが必要です。

履修日	年	月	日

 対象者：経営者（管理者）

要注意度	指摘頻度
★★★	★★★

 キーワード　外部委託

2. 外部委託先の保険会社への事前承認

Q 個人データの取扱いを外部業者（クラウドサービスを含む）に委託する場合、どのようなことに注意しなければいけませんか？

 **A** 個人データの取扱いを外部業者（クラウドサービスを含む）に委託する場合（変更・追加を含む）は、次の対応を適切に行う体制を整備し、加えて、その業者が適切に取扱っているかを確認する必要があります。

・適切性、安全性等の審査を行い、事前に所属保険会社に申請する

・委託者（代理店）の監督・監査・報告徴収に関する権限などを盛り込んだ委託契約書を締結する、もしくは約款を保管する

・委託契約内容（安全管理措置等）の遵守状況を定期的に確認する

　※外部委託先が再委託を行う場合も同様の取扱いとする

 適切・不適切な対応例

オンラインストレージ（クラウドサービス）	
○　適　切	✕　不適切
●入力データを外部のオンラインストレージ(クラウドサービス)に保存される場合など外部委託する際に事前に保険会社の承認を受けてから処理している	●個人データを含む書類は、産業廃棄物処理業者へ廃棄処理を依頼しているが、委託先チェックや外部委託先管理リストなど作成せず、保険会社へ事前申請もしていない

 必要なツール

◇外部委託先選定チェックシート(ひな型)

◇外部委託契約書(ひな型)

改善のヒント

◆個人データの外部委託に関する社内研修を実施して周知徹底を図る

■**関連法令等**

・個人情報の保護に関する法律第20条

・金融分野における個人情報保護に関するガイドラインの安全管理措置等についての実務指針１－４

キーワード　外部委託

対象者：経営者（管理者）

要注意度	指摘頻度
★★☆	★★★

3. 外部委託先の個人データの取扱・管理の点検・監査

 Q 個人データの取扱・管理を外部業者に委託していますが、保険代理店として管理責任は発生しますか？

 **A** 　管理責任は発生します。金融分野における個人情報取扱事業者は個人データを適切に取扱・管理しているか、業務を外部委託する場合には委託先業者に対して定期的に報告を求めるなど管理状況を定期的または随時に委託先における安全管理措置の遵守状況を確認することが求められています。定期的な訪問による監査などが困難な場合には委託先より安全管理点検報告書を徴求することが必要です。

適切・不適切な対応例	外部委託業者の管理	
	○　適切	✕　不適切
	●年に1回委託先業者を訪問して実態を把握している	●外部委託業者に対して定期的な点検、監査を行っていない ●外部委託業者から定期的に点検報告を受けていない

必要なツール	◇保険会社所定の情報セキュリティ自己診断（情報処理推進機構）など

 改善のヒント	◆訪問が困難な場合には委託先業者から管理状況の報告書を徴求して実態把握を行う

■関連法令等

・金融分野における個人情報保護に関するガイドラインの安全管理措置等についての実務指針1－4、5－4

6

情報漏えい時の対応
Q & A

 キーワード　　情報漏えい

対象者：経営者（管理者）

要注意度	指摘頻度
★★☆	★★★

1. 漏えい事故発生時の対応（保険会社への報告）

Q 個人情報の漏えい等が発生した場合、まず何をすればいいのですか？

A 　万が一、個人情報の漏えい、滅失、き損等があった場合は、ただちに店主または個人データ管理責任者に連絡をし、その指示を受けて所属保険会社へ報告してください。また、個人データの漏えい、滅失、き損を防止するため、定期的に点検・監査を実施することが重要です。

①店主等は、募集人が個人情報の漏えい・滅失・き損等が発生した場合、ただちに所属保険会社へ報告するための適切な教育・管理・指導を実施する必要があります。併せて、募集人が個人情報の取扱いを適切に行っていることを確認する必要があります。

例）店主等による研修等の実施、日常の募集人指導や自己点検時の「募集人シート」を確認する。

②個人情報の漏えい、滅失、き損等を防止するため、代理店の規模に応じ、情報セキュリティ対策に十分な知見を有する者により、定期的に点検・監査を行う体制を整備する必要があります（「個人情報の取扱規程」への記載を含む）。また、適切に点検・監査を実施しているか、下記の内容を確認する必要があります。

・大規模な代理店においては、情報セキュリティ対策に十分な知見を有する者※により、サイバー攻撃や標的型攻撃メール等の新たな情報セキュリティリスクに対する社内の対応を実施している

※「個人データの点検・改善等を行う部署」等の組織長や情報部門の責任者等

・上記以外の代理店は「個人データ管理責任者」等が上記の機能を担っている

 適切・不適切な対応例

情報漏えい事故が発生した場合	
○　適切	×　不適切
●FAXやメールの誤送信や郵便物の誤郵送など情報漏えい事故が発生した際には 迅速に店主や個人データ管理責任者に報告して適切な対応を行っている	●情報漏えいが発生した時は、すぐには保険会社へ報告せず、確認してからあとで報告するようにしており、定期的な点検はしていない

 必要なツール

◇情報セキュリティ事故・事件対応マニュアル（ひな型）

 改善のヒント

◆情報漏えい時の対応マニュアルを作成して社内に周知徹底する

■**関連法令等**

・金融分野における個人情報保護に関するガイドライン第17条
・金融分野における個人情報保護に関するガイドラインの安全管理措置等についての実務指針2－5

■FAXの誤送信や郵便物の誤発送などは軽微な情報漏えいと勝手に解釈して上席者に報告されないケースも有るので社内で漏れなく報告するルールを徹底する必要があります。

| 履修日 | 年 | 月 | 日 |

要注意度	指摘頻度
★★☆	★★★

 キーワード　情報漏えい

2. 漏えい事故発生時の対応（監督当局への報告）

Q ＦＡＸ・メールの誤送信や郵便物の誤郵送した場合などの情報漏えい事案についても監督当局に報告する必要がありますか？

A 平成29年3月に個人情報保護委員会事務局が発行した「金融機関における個人情報保護に関するＱ＆Ａ」のⅣ－11に以下のように回答されています。

・ＦＡＸの誤送信、郵便物の誤送付およびメール誤送信などについては、個人情報取扱事業者が個別の事案ごとに、漏えい等した情報の量、機微（センシティブ）情報の有無および二次被害や類似事案の発生の可能性などを検討し直ちに報告を行う必要が低いと判断したものであれば、業務上の手続きの簡素化を図る観点から、四半期に1回程度にまとめて報告しても差し支えありません。

適切・不適切な対応例

ＦＡＸ・メール送信・郵送時の情報漏えいの報告	
○　適　切	×　不適切
●ＦＡＸやメールの誤送信、郵便物の誤郵送が発生した場合は、情報漏えいした情報量や内容を確認し、保険会社および監督当局に報告を行っている	●ＦＡＸやメールの誤送信、郵便物の誤郵送について監督当局に報告を行っていない

必要なツール

◇情報セキュリティ事故・事件対応マニュアル（ひな型）

改善のヒント

◆情報漏えい時の対応マニュアルを作成して社内に周知徹底する

◆ＦＡＸの操作盤前に「誤送信の注意喚起文書」を掲示する

◆メールの送信先・添付ファイルなど確認後にメール送信する

◆窓付き封筒を使用する

■関連法令等
・金融機関における個人情報保護に関するＱ＆Ａ　Ⅳ－11

■ＦＡＸの誤送信や郵便物の誤発送などは軽微な情報漏えいと勝手に解釈して上席者に報告されないケースも有るので社内で漏れなく報告するルールを徹底する必要があります。

対象者：経営者（管理者）

要注意度	指摘頻度
★☆☆	★★☆

キーワード　情報漏えい

3. 携帯電話・スマートフォンやタブレットの紛失

Q 募集人が業務で使用している携帯電話・スマートフォンやタブレットを紛失しました。どのような対応が必要ですか？

A 最近の携帯電話・スマートフォンやタブレットは携帯情報端末機能として顧客の氏名や電話番号以外にもメモなどの記録ができます。したがって、携帯電話の紛失や盗難には、重大な個人情報漏えいリスクがあります。もし、紛失、盗難にあった場合には速やかに携帯電話会社への連絡と対応依頼、外部からのロック機能などの措置の実行、警察への届け出、保険会社への連絡、顧客対応が必要となります。

適切・不適切な
対応例

携帯電話・スマートフォンやタブレットの情報セキュリティ対応	
○　適切	×　不適切
●携帯電話・スマートフォンやタブレットには起動パスワードやＧＰＳ起動を設定し、紛失、盗難の際には速やかに携帯会社に連絡してロック機能や捜索などの措置の実行、警察への届け出、保険会社への連絡など必要な対応を行っている	●携帯電話・スマートフォンやタブレットには起動パスワードやＧＰＳ起動を設定していない

必要な
ツール

◇情報セキュリティ事故・事件対応マニュアル（ひな型）

改善の
ヒント

◆携帯電話・スマートフォンやタブレットには顧客の氏名や電話番号以外必要最小限の個人情報しか記録しない

◆ロック機能や顔認証などできる限りセキュリティを強固なものにしておく

■関連法令等

・金融分野における個人情報保護に関するガイドラインの安全管理措置等についての実務指針６－３－１

■携帯電話・スマートフォンの顧客情報

　携帯電話・スマートフォンに顧客情報(お客さまの氏名や電話番号)を記録・保管すると、個人データを持ち歩いていることになります。保険代理店の情報漏えい事案で最も多く見かけるのが飲み会などで紛失してしまった、というものです。本文にもあるとおり、一旦紛失してしまうと個人データの漏えいとして監督官庁への届出対象ともなってしまいますので、特に注意することが必要です。

その他
Q & A

対象者：経営者（管理者）/募集人

キーワード　個人情報の取扱い

要注意度	指摘頻度
★☆☆	★★☆

1. 個人情報の利用目的の特定

 Q 自動車販売会社と提携してドライブレコーダーの紹介・斡旋を始めます。自動車保険の契約者にDMを郵送したいのですが、何か注意することはありますか？

A 自社のホームページや店頭のプライバシーポリシーに「自動車関連の商品をご案内する」旨の利用目的を掲示しておくことと、自動車保険契約の際に顧客に「個人情報を自動車関連の商品のご案内に利用することがある」ことを説明しておくことが必要となります。また、現時点で自動車関連の商品のご案内が利用目的に入っていない場合は、利用目的の変更手続きが必要です。「変更前の利用目的と関連性を有すると合理的に認められる範囲」であれば個人情報の利用目的を変更できることになりましたが、本人への通知や公表は必要になります。

適切・不適切な対応例

個人情報の利用目的の明確化	
○ 適　切	× 不適切
●プライバシーポリシーに顧客情報の利用目的を特定し、事務所への掲示・ホームページへ掲載している	●プライバシーポリシーに利用目的を明示せずに顧客情報を使用して商品を販売している

必要なツール　◇プライバシーポリシー（ひな型）

改善のヒント　◆個人情報の利用についてプライバシーポリシーに正しく記載されているかチェックする

■関連法令等

・個人情報の保護に関する法律第15条

■保険代理店が保険募集業務以外に関連する業務を行う場合には保険の顧客情報を本人に無断で転用することは法令で禁じられているので注意が必要です。

履修日	年	月	日

 対象者：経営者（管理者）/募集人

キーワード　情報漏えい

要注意度	指摘頻度
★☆☆	★★☆

2. 業務用使用車ルール

 Q 募集人が営業で社有車（または個人所有車）を使用していますが、管理上で必要となることはありますか？

 **A** 　社内の体制整備として社有車（または個人所有車）使用に関する規程またはガイドラインを策定することが必要です。個人情報管理上で注意することは車内に営業カバンを置いたままで外出しないことです。特に昼食時やコンビニへ立ち寄り時など短時間だから大丈夫と勝手な判断をしたことで車上荒らしの被害に遭うケースも散見されます。油断大敵です。

 適切・不適切な対応例

1）社有車を使用する場合
2）個人所有車を業務使用する場合

○　適　切	×　不適切
1）社有車管理規程を策定して安全管理を徹底している 2）業務使用管理規程を策定し、個人所有車の業務使用について、申請・許可・誓約書などを手続きのうえ、業務使用許可承認を受けて業務使用し、安全管理を徹底している	1）社有車の助手席や後部席に営業カバンを置いたまま昼食したり、コンビニで買い物している 2）個人所有車の業務使用許可を受けずに、個人所有車なので特に注意することなく使用をしている

 必要なツール

◇社有車管理規程（ひな型）

◇社有車使用ガイドライン（ひな型）

◇私有車の業務上利用に関する規程（ひな型）

 改善のヒント

◆社有車および個人所有車の業務使用に関する規程やガイドラインを設けるとともに、個人情報の持ち出しに関するルールも策定する必要がある

■関連法令等

・個人情報の保護に関する法律第20条
・金融分野における個人情報保護に関するガイドラインの安全管理措置等についての実務指針1－4

巻末資料
関連帳票ひな型

NIPPON SOURIN Co., LTD.
日本創倫株式会社

個人情報に関する取扱いについて（プライバシーポリシー）

<u>代理店名： 〇〇〇〇保険</u>

当店は、個人情報保護の重要性に鑑み、また、保険代理業に対する社会の信頼をより向上させるため、個人情報の保護に関する法律（個人情報保護法）、行政手続における特定の個人を識別するための番号の利用等に関する法律（マイナンバー法）、その他の関連法令、金融分野における個人情報保護に関するガイドライン等を遵守して、個人情報ならびに特定個人情報等（注1）を適正に取り扱うとともに、安全管理について適切な措置を講じます。また、当店は、お預かりしている個人情報および特定個人情報等が適正に取り扱われるように従業者への指導・教育を徹底し、適正な取扱いが行われるよう取り組んでまいります。なお、以下に記載の内容についても適宜見直しを行い、改善に努めていきます。個人情報を適正に取扱うとともに、安全管理について適切な措置を講じます。

（注1： 個人番号と特定個人情報を合わせて「特定個人情報等」といいます）

1. 個人情報の取得

　　当店は、業務上必要な範囲内で、適法かつ公正な手段により個人情報を取得します。

2. 個人情報の利用目的

　　当店は、取得した個人情報を保険会社より保険募集業務の委託を受けて、所属保険会社が取り扱う保険商品およびこれらに付帯・関連するサービスの提供など、当該業務の遂行に必要な範囲内で個人情報を利用します。

　　利用目的は、お客さまにとって明確になるよう具体的に定め、当店のホームページで公表します。

　　また、取得の場面に応じて利用目的を限定するよう努めます。さらに、利用目的を変更する場合には、その内容をご本人に通知するか、当店のホームページ等に公表します。

　　当店に対し保険募集業務の委託を行う保険会社の利用目的は、その会社のホームページ（下記）に記載してあります。

＜損害保険会社＞

■　〇〇損害保険株式会社(HP アドレス ：<u>http://www.〇〇.co.jp</u>)

＜生命保険会社＞

■　〇〇生命保険株式会社(HP アドレス ：<u>http://www.〇〇.co.jp</u>)

　（注）他の保険会社の取扱いもある場合は、その会社名と HP アドレスも記載します。

3. 個人データの第三者への提供および第三者からの取得

（1）　当店は、次の場合を除いてご本人の同意を得ることなく個人データを第三者に提供しません

　　・法令に基づく場合

　　・当店の業務遂行上必要な範囲内で、保険代理店を含む委託先に提供する場合

　　・当店のグループ会社および提携先企業との間で共同利用を行う場合

　　　（注）グループ会社および提携先企業との共同利用がある場合は、下記5.を別途記載します。

　　・保険会社等との間で共同利用を行う場合

（2）　当店は、法令で定める場合を除き、個人データを第三者に提供した場合には当該提供に関する事項（どのような提供先に、どのような個人データを提供したか等）について記録し、個人データを第三者から取得する場合には当該取得に関する事項（どのような提供元から、どのような個人データを取得したか、提供元の第三者がどのように当該データを取得したか等）について確認・記録します。

4. 個人データおよび特定個人情報等の取扱いの委託

　　当店は、利用目的の達成に必要な範囲において、外部に個人データおよび特定個人情報等の取扱いを委託する場合には、委託先の選定基準を定め、あらかじめ委託先の情報管理体制を確認するなど委託先に対する必要かつ適切な監督を行います。

5. グループ会社および提携先企業との共同利用（ただし、特定個人情報等につきましては共同利用を行いません）

　　前記2.に記載した利用目的および提携先企業との間で、以下のとおり個人データを共同利用します。

　　(1) 個人データの項目： 住所、氏名、電話番号、電子メールアドレス、性別、生年月日、その他申込書等に記載された契約内容および事故状況、保険金支払状況等の内容

　　(2) 個人データ管理責任者：○○○○保険株式会社

　　　※当店のグループ会社および提携先企業については、下記に「会社一覧」を記載します。

6. 個人データの安全管理措置

　　当店は、取り扱う個人データの漏えい、滅失またはき損の防止その他の個人データの安全管理のため、安全管理に関する取扱規定等の整備および実施体制の整備等、十分なセキュリティ対策を講じるとともに、利用目的の達成に必要とされる正確性・最新性を確保するために適切な措置を講じています。

7. 個人データの第三者への提供・開示の禁止

　　当店は、個人データを第三者に提供するにあたり、以下の場合を除き、ご本人の同意なく第三者に個人データを提供しません。

　　　①法令に基づく場合

　　　②人の生命、身体又は財産の保護のために必要がある場合であって、本人の同意を得ることが困難であるとき。

　　　③公衆衛生の向上又は児童の健全な育成の推進のために特に必要がある場合であって、本人の同意を得ることが困難であるとき。

　　　④業務遂行上必要な範囲内で、委託先や提携先企業に提供する場合

　　　⑤国の機関若しくは地方公共団体又はその委託を受けた者が法令の定める事務を遂行することに対して協力する必要がある場合であって、本人の同意を得ることにより当該事務の遂行に支障を及ぼすおそれがあるとき。

8. センシティブ情報の取扱い

　　当店は、要配慮個人情報ならびに労働組合への加盟、門地、本籍地、保健医療および性生活に関する情報(本人、国の機関、地方公共団体、個人情報保護法第76条第1項各号もしくは同法施行規則第6条各号に掲げる者により公開されているもの、または、本人を目視し、もしくは撮影することにより取得するその外形上明らかなものを除きます。以下「センシティブ情報」といいます。)を個人情報保護法、その他の法令、ガイドラインに規定する場合を除くほか、取得、利用または第三者提供しません。

9. 特定個人情報等の取扱い

　　特定個人情報等は、マイナンバー法により利用目的が限定されており、当店はその目的を超えて取得・利用しません。マイナンバー法で認められている場合を除き、特定個人情報等を第三者に提供しません。

10. 個人情報保護法に基づく保有個人データおよび特定個人情報等に関する事項の通知、開示・訂正等・利用停止等

　　当店は、個人情報保護法に基づく保有個人データおよび特定個人情報等に関する事項の通知、開示・訂正等・利用停止等に関するご請求(以下、「開示等請求」といいます。)については、下記の「お問い合わせ窓口」にご請求ください。ご請求者がご本人であることをご確認させていただくとともに、当店所定の書式にご記入いただいたうえで手続を行い、後日、原則として書面で回答します。利用目的の通知請求および開示請求については、回答までに一定の期間を要する場合、当店所定の手数料をいただきます。あらかじめご了解ください。

　　当社が必要な調査を行った結果、ご本人に関する情報が不正確である場合は、正確なものに変更させていただきます。

11. 個人データおよび特定個人情報等の管理について

　　当店は、個人データおよび特定個人情報等の漏えい、滅失またはき損の防止その他の個人データおよび特定個人情報等の安全管理のために、取扱規程等の整備、アクセス管理、持ち出し制限、外部からの不正アクセス防止のための措置、その他の安全管理措置に係る実施体制の整備等、十分なセキュリティ対策を講じるとともに、利用目的の達成に必要とされる正確性および最新性の確保に努めています。

12. 匿名加工情報の取扱いについて

　　当店は、匿名加工情報を作成する場合は、法令で定める基準に従い適正に加工します。作成したときは、加工方法等の安全管理措置を講じるとともに、匿名加工情報に含まれる情報の項目を公表します。また、匿名加工情報を自ら利用するときは、作成の元となった個人情報の本人を識別するための行為はしません。

　　（注）匿名加工情報とは、特定の個人を識別することができないように個人情報を加工して得られる個人に関する情報であって、個人情報保護法第２条第９項に定める匿名加工情報をいいます。

13. お問い合わせ窓口

　　当店は、個人情報、特定個人情報等および匿名加工情報の取扱いに関する苦情およびご相談に対し適切かつ迅速に対応します。　当店の個人情報、特定個人情報等および匿名加工情報の取扱いならびに個人データ、特定個人情報等および匿名加工情報の安全管理措置に関するご照会、ご相談は、下記までお問い合わせください。

　　また、保険事故に関するご照会については、下記お問い合わせ窓口のほか、保険証券に記載の事故相談窓口にお問い合わせください。ご照会者がご本人であることをご確認させていただいたうえで対応させていただきますので、あらかじめご了承願います。

■「お問い合わせ先」

　　代理店　　（所在地）
　　　　　　　（名　称）

　　電　話　　（受付時間　：○曜日～○曜日　　○時～○時）（電子メールアドレス）（ホームページアドレス）

[2017 年 5 月 30 日改定]

代理店独自の保有固有データ（保険会社の委託業務に係る個人データ以外のもの）がある場合には、その手続き等について記載する必要があります。

《参考資料》

【Ａ：記載することで法令の義務をクリアできる事項】

（1）取得する個人情報の利用目的
（2）保有個人データに関する事項
（3）開示等の請求に応じる手続
（4）問い合わせ及び苦情の受付窓口
（5）オプトアウトによる個人データの第三者提供をする場合は、そのために必要な記載事項
（6）個人データの共同利用をする場合は、そのために必要な記載事項

【Ｂ：法令の義務ではないが、記載することが望ましい事項】

（1）会社が法令やガイドライン等を遵守して、個人情報を適法かつ適切に取扱うことの宣言
（2）安全管理措置
（3）会社が個人情報の取扱いについて、継続的に改善することの宣言
（4）プライバシーポリシーの改訂方法

2. 安全管理措置自己点検チェックリスト（個人情報保護委員会）

自己点検チェックリスト

このチェックリストは、自社内での個人情報の取扱いが、個人情報保護法上求められる個人情報の安全管理のために必要な各項目を満たしているのかについて、自己点検を実施するための参考資料です。

チェックがつかない項目については、個人情報保護法ガイドライン（通則編）（以下「ガイドライン」という。）の参照先の記載も参考にし、早急に対策を実施いただく必要があります。

チェック開始にあたり、事前準備として自社で個人データをどの程度取り扱っているのか確認することは重要です。

　取扱件数　　　　件

※事前準備なしでもチェックを行うことは可能です。

項番	安全管理のために必要な措置	チェック	確認事項	ガイドライン参照先
1	基本方針の策定	☐	個人データの適正な取扱いの確保について会社組織全体として取り組むために、基本方針を策定していますか？ ※この項目は義務規定ではありませんが、策定することは重要です。	8-1
2	個人データの取扱いに係る社内ルールの整備	☐	個人データの取得、利用、保存等を行う場合の基本的な取扱方法を定めた社内ルールを整備していますか？ 手法例； 既存の業務マニュアル・チェックリスト等に個人情報の取扱いに関する項目を盛り込む ※チェックがつかない場合、個人情報保護委員会のHPに掲載されている「個人データ取扱要領（例）」をご確認ください。	8-2
3	組織的安全管理措置	☐	(1)個人データを安全に取り扱うための組織体制は整備できていますか？ 手法例； 個人データを取り扱う従業者が複数いる場合、個人データの取扱いについて責任ある立場の者とその他の者を区分する	8-3(1)
		☐	(2)個人データの取扱いに係る社内ルールに従った運用がされていますか？また、それを確認するための手段はありますか？ 手法例； あらかじめ整備された個人データの取扱いに係る社内ルールに従って個人データが取り扱われていることを、責任ある立場の者が確認する	8-3(2)(3)
		☐	(3)漏えい等の事案が発生した場合に対応する体制は整備できていますか？ 手法例； 漏えい等の事案の発生時に備え、従業者から責任ある立場の者に対する報告連絡体制等を決め、従業者に周知する	8-3(4)
		☐	(4)個人データの取扱い状況の把握及び安全に取り扱うためのルールや体制の見直しはできていますか？ 手法例； 責任ある立場の者が個人データの取扱いについて、定期的に点検するとともに、適宜取扱方法（ルールや体制）の見直しを行う	8-3(5)
4	人的安全管理措置	☐	従業者に、個人データの適正な取扱いを周知徹底するとともに、適切な教育を行っていますか？ 手法例； 個人データの適正な取扱いに関して、 ・朝礼等の際に定期的な注意喚起を行う ・定期的な研修を行う ・個人データについての秘密保持に関する事項を就業規則等に盛り込む	8-4

項番	安全管理のために必要な措置	チェック	確認事項	ガイドライン参照先
5	物理的安全管理措置		**(1)個人データを取り扱う区域を管理していますか？**	
		☐	手法例； 個人データを取り扱うことのできる従業者及び本人以外の者が容易に個人データを閲覧等できないような措置を講ずる	8-5(1)
			(2)個人データを取り扱う機器及び電子媒体等の盗難等を防止するための対策を実施していますか？	
		☐	手法例； ・個人データを取り扱う機器、個人データが記録された電子媒体又は個人データが記載された書類等を、施錠できるキャビネット・書庫等に保管する。 ・パソコンのフォルダ内に個人データが保存されている場合は、当該機器をセキュリティワイヤー等により固定する。	8-5(2)
			(3)（電子媒体等を持ち運ぶ場合）持ち運ぶ際に個人データが漏えいしないための対策を実施していますか？	
		☐	手法例； 個人データが記録された電子媒体又は個人データが記載された書類等を持ち運ぶ場合、パスワードの設定、封筒に封入し鞄に入れて搬送する等、紛失・盗難等を防ぐための安全な対策を実施する。	8-5(3)
			(4)個人データの削除及び個人データが記録された機器、電子媒体等を適切に廃棄していますか？	
		☐	手法例； 個人データを削除し、又は個人データが記録された機器、電子媒体等を廃棄したことを、責任ある立場の者が確認する	8-5(4)
6	技術的安全管理措置 ※技術的安全管理措置は、情報システム（パソコン等の機器を含む。）を使用して個人データを取り扱う場合（インターネット等を通じて外部と送受信等する場合を含む。）に講ずる必要があります。		**(1)個人データへの不要なアクセスを防止できるよう制御していますか？**	
		☐	手法例； 個人データを取り扱うことのできる機器及び当該機器を取り扱う従業者を明確化する	8-6(1)
			(2)個人データを取り扱う情報システムを使用する従業者が正当なアクセス権を有するか、確認したうえでアクセスを許可していますか？	
		☐	手法例； 機器に標準装備されているユーザー制御機能（ユーザーアカウント制御）により、正当なアクセス権を有する従業者であるかを識別・認証する	8-6(2)
			(3)外部からの不正アクセス等を防止するための対策を実施していますか？	
		☐	手法例； ・個人データを取り扱う機器等のオペレーティングシステムを最新の状態に保持する ・情報システム及び機器にセキュリティ対策ソフトウェア等を導入する ・セキュリティ対策ソフトウェア等を最新状態とする <u>※不正アクセス等を防止するための注意点！</u> たとえば、個人データを取り扱うウェブサイト・通販サイト（ECサイト）の構築、保守・運用する場合には、次のような対策を行うことが考えられます。 ・ウェブサイトのプログラム修正、システムのバージョンアップなど変更・修正を加えた場合は、リリース前にセキュリティチェックシートなどを使用し、ウェブサイトに脆弱性がないか網羅的に確認を行いましょう。 ・ウェブサイトの運用にあたっては、OSやソフトウェアの脆弱性対策情報を収集し、必要に応じ速やかにセキュリティパッチを適用しましょう。また、定期的に、ウェブサイト全体を対象として脆弱性診断を行うことも有効です。	8-6(3)
			(4)情報システムの使用に伴う漏えい等を防止するための対策を実施していますか？	
		☐	手法例； メール等により個人データの含まれるファイルを送信する場合、当該ファイルにパスワードを設定する	8-6(4)

項番	安全管理のために必要な措置	チェック	確認事項	ガイドライン参照先
7	委託先の監督 ※個人情報の取扱いの委託とは、個人情報の取扱業務を自社以外の事業者へ依頼することです。例えば、次のような業務で委託に該当する場合があります。 ・各種申込書類等の手続き ・個人情報を含む書類の廃棄 ・コールセンター ・通販サイトの構築・運用 ・HPの一部での予約受付サイトの運営 ※通販サイトや予約受付等個人情報の取扱いを含むシステムの運営を依頼する場合も委託となります。	☐	個人データの取扱いの全部又は一部を委託する場合、個人データの安全管理が図られるよう、以下の(1)～(3)の観点で、委託先に対する必要かつ適切な監督を行っていますか？ (1)適切な委託先の選定 前項までに定める個人情報の安全管理のために必要な措置が、委託先において確実に実施されるか、委託先選定時に確認する (2)委託契約の締結 委託契約には、個人データを安全に管理するために必要な対応として両社同意した内容及び委託先での取扱状況を委託元が把握できる規定を盛り込むことが望ましい (3)委託先における個人データ取扱状況の把握 定期的に監査を行う等により、委託契約に盛り込んだ内容が適切に実施されているかを調査し、必要に応じて委託内容の見直しを検討することが望ましい <u>※安全管理を委託先に任せきりにしない！</u> たとえば、個人データを取り扱うウェブサイト・通販サイト(ECサイト)の構築、保守・運用を委託する場合には、次のような対策を行うことが考えられます。 ・委託先が適切なシステム上のセキュリティ対策を含む安全管理を実施しているか契約前に確認し適切な事業者を選定すること ・セキュリティ対策等の内容を明確にして契約に盛り込むこと(6　安全管理措置(3)参照) ・契約書に記載されたセキュリティ対策等の実施状況について定期的に報告を求めるなど確認を行うこと	3-3-4

3. 個人データ管理台帳

（記載例）

個人データ管理台帳

NO.	個人情報DB・書類名				取得項目			利用目的 募集・引受ー1 計上・管理ー噂2 集金・精算ー・3 その他r具体的に入力	保管		
	分類(選択)			DB・書類名称	取得データ項目	センシティブ情報 含む→○ 含まない→×			保管場所	保管方法	保管期限
	DB	出力帳票	収集書類								
1			○	申込書・取扱報告書(写・控)	氏名・住所・契約内容・病歴ほか	×		1	キャビネット	時間外施錠	(※3)
2			○	領収証の取扱者(控)	氏名ほか	×		1	キャビネット	時間外施錠	翌年度末まで
3		○		未収納契約等のご案内	氏名ほか	×		2・3	キャビネット	時間外施錠	翌年度末まで
4		○		代理店手数料明細書	氏名ほか	×		3	キャビネット	時間外施錠	(※1)
5		○		失効・自動振替貸付・自動延長定期保険適用契約リスト	氏名・契約内容ほか	×		2・3	キャビネット	時間外施錠	翌年度末まで
6		○		ご契約満了と自動更新のお知らせ	氏名・契約内容ほか	×		2	キャビネット	時間外施錠	翌年度末まで
7		○		満期・生存等支払応当契約一覧表	氏名・契約内容ほか	×		2	キャビネット	時間外施錠	用済後廃棄
8		○		異動連絡票	氏名・契約内容ほか	×		2	キャビネット	時間外施錠	(※2)
9		○		契約管理台帳	氏名・住所・契約内容ほか	×		2	キャビネット	時間外施錠	(※2)
10											

（※1）7年経過後の決算期末まで

（※2）契約消滅まで

（※3）成立またはキャンセルまで

				管理部署	
				情報管理者	
				作成・更新年月日	
				作成者	

アクセス制限の状況	廃棄の記録		管理区域外への持ち出し			
社内―1 保険部門―2 その他―異体的に入力	使用保管中→未 廃棄済→済 (2005年　月 日)	担当者 (共有データ で無い場合)	可→○ 不可→× ※右欄は持ち出 し可の場合のみ 使用	個人データ 管理者の承認 ※承認を得た場 合「有」と記入	持ち出し日	持ち出し終了 ※持ち出しを終 了した場合 「済」と記入,
2	未	情報管理者				
2	未	情報管理者				
2	未	情報管理者				
2	未	情報管理者				
2	未	情報管理者				
2	未	情報管理者				
2	未	情報管理者				
2	未	情報管理者				
2	未	情報管理者				

4. 個人データ取扱者名簿

個人データ取扱者名簿

No.	取扱者名	カナ	部署名	役職
1				
2				
3				
4				
5				
6				
7				
8				
9				
10				
11				
12				
13				
14				
15				
16				
17				
18				
19				
20				
21				
22				
23				
24				
25				
26				
27				
28				
29				
30				
31				
32				
33				
34				
35				
36				
37				
38				
39				
40				
41				
42				
43				
44				
45				
46				
47				
48				
49				
50				

5. FAX送付状

FAXテスト送信

送付先:		発信元:	○○保険サービス　担当:○○
FAX番号:		送付枚数 (本表含):	本紙のみ
電話番号:		日付:	2019.8.8

☑ 至急　　☐ ご参考まで　☑ ご確認ください　☐ ご返信ください

件名:FAXテスト送信　ご協力のお願い

連絡事項:

平素は格別のご高配賜り、厚く御礼申し上げます。

　このたび、FAXを送信するにあたり、弊社では、FAX誤送防止のためテスト送信をさせていただいております。
無事送信を確認していただきました際には、大変お手数でございますが、その旨、下記のいずれかの方法でお知らせいただけますようよろしくお願いいたします。

————————————————————————————

(1)電話でご連絡ください。電話番号　：　00-0000-0000

(2)FAXで返信ください。　　FAX番号　：　00-0000-0000

————————————————————————————

なお、お心当たりのない場合は、そのまま破棄くださいますようお願いいたします。

以上

2019.8.8

6. 郵便物受発信簿

【 郵 便 物 等 発 信 簿 】

《注意》
- ■センシティブ情報を含む書類送付の場合、受領確認が可能な送付方法を使用します。
- ■顧客情報の入った記録媒体を送付する場合は、暗号化を行います。
- ■メール便やレターパックの問合せ番号や保管用シールや受領証は発信簿と合わせて1年間（翌年度末まで）保管します。

発信日	差出人	受取人	内容	記録媒体の場合	センシティブ情報	郵便種類	使用切手・レターパック内訳	計
／	担当者○○ 担当者○○ 事務スタッフ		申込書（○○生命）／意向確認書／取扱者報告書／告知書／口座／健診結果県振込案内／コチラニ・報告書／申込内容訂正／料率変更／部位不・特条／返金等指図書／診断書／給付金／名変／内変／復活／解約／登録関連書類／設計書・パンフレット（　　）	□ 暗号化済	あり なし	簡／書／宅（500）／レ（500）／普／速／特／メ／レ（350）／簡／書／宅／	ﾉ-ﾙ計器 レターパック　メール便 円×　　枚	80／90／120 140／200／240 300／350／380 410／420／440 500／（　　）
／				□ 暗号化済	あり なし	普／速／簡 書／特／宅		※
／				□ 暗号化済	あり なし	簡／書／宅 普／速／特／メ／ 簡／書／宅／		※
／				□ 暗号化済	あり なし			
／				□ 暗号化済	あり なし			
／				□ 暗号化済	あり なし			
／				□ 暗号化済	あり なし			
／				□ 暗号化済	あり なし			
／				□ 暗号化済	あり なし			
／				□ 暗号化済	あり なし			

98

7. 個人データ社外持出管理簿

個人データ社外持出管理簿（　　　　年度）　　　　　　　部　　　　No.

1. 個人データを管理区域外に持ち出す際※1には、情報管理責任者の承認を得ること。
2. やむを得ず急な直行・直帰等が発生した場合は、電話承認欄に記入、持帰確認印を押印すること。
3. 必要以上に個人データを持ち出していると判断される場合等、情報管理責任者は持出しを否認のこと。

・持出時においては、常時携行し、自らの管理下におくこと。
・宴席・懇親会への持込禁止
・顧客情報・機密情報自宅PCで取扱うことは禁止

情報管理統括責任者
8/1　

No.	持出日	持ち出す個人データ名（ファイル名・書類名等）	書類等	FD・CD等	ノートPC等	センシティブ情報有無	担当者印	情報管理者承認印	電話承認欄 ※承認者名・承認日時を記入	持帰有無	会社持帰日	持帰確認印
例	8/1	○○宛 社会保険書類	○			有・(無)	印	印	8/1　15:00 電話で××次長に承認を得た	(有)・無	8/2	印
1						有・無						
2						有・無						
3						有・無						
4						有・無						
5						有・無						
6						有・無						
7						有・無						
8						有・無						
9						有・無						
10						有・無						

※1　管理区域以外に持ち出すとは、事務所以外に個人情報を持ち出す場合をいう。
※2　保管期間は当該会計年度の翌会計年度末を経過後廃棄とする。
※3　センシティブ情報とは、要配慮個人情報（人種、信条、社会的身分、病歴、前科・前歴、犯罪被害情報などをいう）ならびに労働組合への加盟、門地および本籍地、保健医療および性生活（これらのうち要配慮個人情報に該当するものを除く）に関する情報をいう。
※4　「会社持帰日」欄については、「持帰有・無」欄で無の場合は不要。

毎月・毎週点検シート（ドラフト）

点検日	
募集人名	

No	チェック内容	チェック	備考
1	顧客情報を不正に取得して、利用していない。		
2	契約締結の際、申込書や契約者控え等に記載されている個人情報の利用目的等を契約者に説明している。		
3	外出時、退社時に顧客情報を収容しているキャビネット・書棚・書庫等や事務室の施錠を確実に行っている。また書類を机上に放置したり、営業カバンを床の上に放置していない。		
4	保険業務に使用するパソコンのパスワードやログインパスワード等を共有していない。		
5	代理店システムのパスワードを共有していない。		
6	簡単に推測されるようなパスワードの設定をしていない。		
7	パスワードは他人に知られないようにしている。（パソコン等にメモを貼付するようなことはしていない）		
8	保険業務に使用するパソコンに保険会社が使用を禁止しているソフト（Winny（ウイニー）等）をインストールしていない。		
9	事務所外に持ち出す顧客情報は訪問先のデータに限定する等、業務上必要最低限のものに限定している。また持ち出し管理簿等で記録している。		
10	顧客情報を電子媒体に保存して持ち出す場合、暗号化やパスワード設定等の漏えい防止策を行っている。		
11	顧客情報が含まれた文書やパソコン等を携帯して外出する際、車内に放置して車から離れたり、電車等の網棚に載せたりすることなく、常時携行している。		
12	顧客情報を郵送で送付する、またはFAXやメールで送信する場合、宛先及び送付物に誤りがないかを確認している。		
13	FAXを利用する機会が多い宛先のFAX番号は短縮番号などに登録している。		
14	電話機やFAX機に登録した相手先のFAX番号が変更となった場合、速やかに登録内容を変更し、定期的に確認している。		
15	FAXの送信ボタンを押す前に、必ずディスプレーの表示された送信先のFAX番号を確認している。		
16	機微（センシティブ）情報の取得、利用は業務上必要な範囲に限定し、特に慎重に取り扱っている。また、利用目的消滅後は適切に消去、廃棄している。		
17	顧客情報が記載されている文書の裏面をメモ用紙等として再利用していない。		
18	顧客情報が記載されている文書は、そのままゴミ箱に捨てずシュレッダー等で裁断廃棄あるいは溶解（焼却）処分としている。		
19	顧客情報が記録されたCDなどの電子媒体は、そのままゴミ箱に捨てず再読み取りの防止のために内容の消去、記録用フィルム面のカット、記録面への傷付け等を行ってから廃棄している。		
20	情報処理等を外部委託する時は委託業者と契約書の取り交わし等を行い、守秘義務・処理方法等を明確にしている。		
21	代理店の顧客情報管理ルールを理解し、代理店や保険会社が実施する研修も進んで受講している。		
22	お客さまの了解を得ずに第三者に顧客情報を提供していない。		
23	お客さまから本人に関する情報について照会があった場合、必ずその方かどうか本人確認を行っている。		
24	契約者等の面談は応接セットやカウンターで行い、顧客情報が記載された書類やパソコンの画面が来訪者の目に触れないようにしている。		
25	顧客情報の漏えい等が発生した場合（疑いがある場合を含む）、ただちに保険会社に報告しなければならないこと、その報告方法を知っている。		
26	店頭備付けもしくはお客さまに提示するパンフレット等に「代理店名、住所、電話番号」が表示されている。		
27	「ご契約のしおり・約款」をお客さまに交付する際に代理店名を表示している。		
28	勧誘方針、プライバシーポリシーはお客さまが容易に閲覧できる状態にしている。		
29	店頭に乗合各社の最新のディスクロージャー誌が掲示されている。		
30	退社時に施錠指定キャビネットの施錠ができている。		
31	個人机に個人情報を含む書類を保管する際は外出時には必ず施錠している。		
32	お客さまからの苦情の申し出については漏れなく記録して本社に報告している。		

9. メールアドレス管理簿

メールアドレス管理簿

姓	名	会社名	郵便番号	住所	電子メールアドレス	会社電話	携帯電話	生年月日	URL	メモ

◇外部委託先管理台帳

（管理者：　　　　　　　　　　　　年　月　日現在）

No.	契約日 （年月日）	外部委託先名 （会社名）	住所 （本社所在地）	連絡先 （TEL）	契約期間			外部委託内容			外部委託契約書
					（年月日）	～	（年月日）	外部委託 （業務の外部委託）	個人データ提供（有・無）	安全管理措置（有・無）	

11. 情報セキュリティ事故・事件対応マニュアル

情報セキュリティ事故・事件
[対応マニュアル]

2020年　月　日

1

情報セキュリティー事故・事件管理対応フロー

※「個人データの外部委託に係る規程 情報セキュリティ事故・事件管理」より

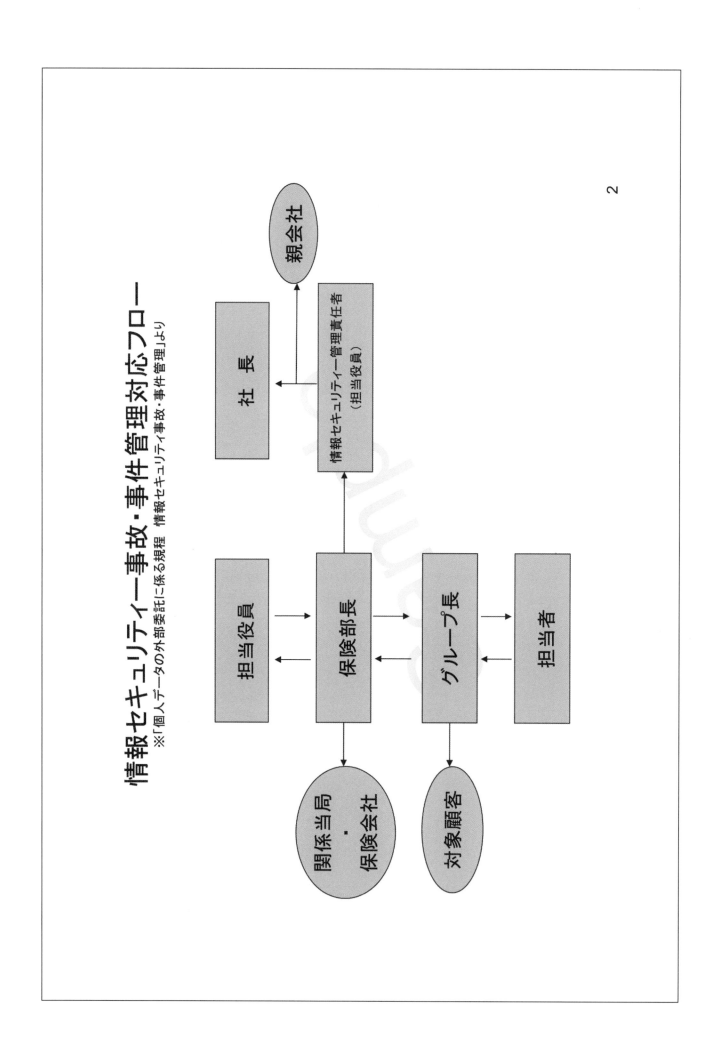

2

情報セキュリティ事故・事件管理ガイドライン

1) 事件発生後、速やかに担当者は、グループ長に報告をする。

2) グループ長は、部門長へ報告・協議の上、事故・事件管理の対応を検討する（対保険会社・対顧客）。
また、部門長は情報セキュリティ管理責任者へ報告・協議の上、対応の最終決定を行う。

3) 部門長は、確定方針に従い解決へ向けての以下措置を講じる。
（グループ長への指示）
・対象顧客への謝罪の連絡指示。
・事故管理報告書の作成、メール配信指示。
（社内外への連絡）
・保険会社への対応実務。

以降については、社内「情報セキュリティ管理規程」に従い対応する。

3

顧客対応ガイドライン(対個人)

1. 顧客への謝罪
・電話で事情説明し、謝罪に伺う旨の連絡を行う。
・電話で顧客に連絡をする際は、可能な限り勤務時間内に行う。
 やむを得ず勤務時間外に連絡する際は、20:00を限度とする。
 但し、顧客側の了解がある際は適用外。
・連絡した際、契約者本人が不在の場合は、再架電、もしくは本人からの折り返し電話をお願いする。
・事情説明時は個人情報漏洩の事実のみを説明し、説明相手以外の関係者情報は話さない。
・メール誤送信の場合はメールの削除、個人情報が記載された書類を送付した場合は書類の返還をお願いする。
 但し、顧客側にて既にメールの削除、もしくは書類の破棄がなされていることが確認出来れば、それをもって終了とし、その事実を事故管理報告書に記載する。
・顧客宅訪問時には、お詫びとしてお菓子類を持参する。

2. 謝罪後の対応
・電話で顧客の了解が取れた場合は、情報セキュリティ担当役員名の詫び状を送付する。
・上記内容に該当しない事件の場合は、都度、情報セキュリティ担当役員と協議し対応する。

3. 改善策の検討
・上記手続き終了後、改善の対応を検討する。

4

106

顧客対応ガイドライン（対法人）

1. 相手企業への謝罪

・相手企業の担当者に電話で事情説明し、謝罪に伺う旨の連絡を行う。
・説明時は個人情報漏洩の事実のみを説明し、相手企業以外の関係者情報は話さない。
・メール誤送信の場合はメールの削除、また、個人情報が記載された書類を送付した場合は
書類の返還をお願いする。
但し、相手企業にて既にメールの削除、もしくは書類の破棄がなされていることが
確認出来れば、それをもって終了としその事実を事故管理報告書に記載する。
・相手企業に訪問の際は、お詫びとしてお菓子類を持参する。
・上記内容に沿って進められない場合は、都度、情報セキュリティ担当役員と協議し対応する。

2. 改善策の検討

・上記手続き終了後、改善の対応を検討する。

顧客対応ガイドライン(サンプル例)

1. 顧客への謝罪
(対法人・対個人)

・電話で事情説明し、謝罪に伺う旨の連絡を行う。※

・説明時は個人情報漏洩の事実のみを説明し、相手顧客・企業以外の関係者情報は話さない。

・メール誤送信の場合はメールの削除、また、個人情報が記載された書類を送付した場合は書類の返送返還をお願いする。

但し、相手顧客・企業にて既にメールの削除、もしくは書類の破棄がなされていることが確認出来れば、それをもって終了とし、その事実を事故管理報告書に記載する。

・法人、個人共に訪問の際は、お詫びとしてお菓子類を持参する。

・上記内容に沿って進められない場合は、都度、情報セキュリティ担当役員と協議し対応する。

※ 上記対応を原則とするが、相手顧客・企業より強く訪問を拒否された場合は、ご了解頂けたことを前提に終了とし、後日、情報セキュリティ担当役員名の詫び状を送付する。

2. 改善策の検討

・上記手続き終了後、改善の対応を検討する。

12. 私有車の業務上利用に関する規程

NIPPON SOURIN Co., LTD.
日本創倫株式会社

私有車の業務上利用に関する規程

第1条（目的）

　この規程は、従業員が所有する乗用車を社用に利用する場合の取扱基準について定めるものである。

第2条（利用）

　従業員が所有する乗用車は原則として社用に利用することは認めない。但し、やむを得ない理由のため、事前に本人が所属長を通じて会社へ利用申請を行い、会社が実状を審査の上、やむを得ないと認め指示した場合に限り、その利用を許可するものとする。

第3条（指示者）

　前条ただし書により、会社が本人の申請に基づきやむを得ず社用利用を指示する場合の指示者は次のとおりとする。

　　1. 各事業部においては事業部執行責任者とする。

第4条（指示基準）

　指示者は、次の各号に定める指示基準を勘案し、総合的に判断し、その利用を指示するものとする。

　　1. 当人の出張又は社用による外出先が、原則として所属事業場所在地を中心に半径100km以内であること。
　　2. 自己所有自動車を利用することが、用務を遂行する上で機動性・経済性及び能率の面から有用であること。
　　3. 明らかに他の交通機関を利用することに比べ、時間の節約になること。

第5条（自動車保険の加入）

　業務において使用する私有車は、強制保険のほか、次に掲げる額の自動車保険加入していなければならない。

対人賠償保険	無制限
対物賠償保険	1,000万円以上
搭乗車損害保険	1,000万円以上

第6条（使用上の注意）

　私用車を業務上使用することを許可された者は、次の事項を遵守しなければならない。

　　（1）交通法規および運転マナーをよく守って安全運転を行うこと。

　　（2）安全運転ができるよう、常に自動車の整備・点検をおこなうこと。

　　（3）自動車の内部・外部の清掃を行うこと

　　（4）自動車に故障が生じた時、もしくは異常を発見した時は、ただちに運転を中止して適切な措置を講じること

　　（5）業務に関係のない者を同乗させないこと。

　　（6）運転中は携帯電話を掛けないこと。やむをえず、携帯電話を掛けるときは、安全な場所に停車してから掛けること。

　　（7）交通事故が発生した時は、法規に定められた措置をとるとともに、直ちに会社に報告すること。

第7条（禁止事項）

　次に掲げる事項に該当する時は,絶対に私有車を運転してはならない。

　　（1）酒を飲んだとき

　　（2）心身が著しく疲労しているとき

　　（3）その他道路交通法によって禁止されている事項に該当するとき

第8条（費用の実費弁償）

　会社が自己所有乗用車を社用に利用することを指示した場合には、燃料費の実費を支給する。また用務を遂行するために利用した有料道路についても、その料金実費を支給する。

第9条（事故発生の場合の対応）

　会社が自己所有乗用車を社用に利用することを指示し、社用の途中で事故が発生した場合には次のとおりとする。

　1．負傷又は死亡した場合には労働者災害補償保険法の定めるところにより処置する。

　2．運転中、当人の故意または重大な過失以外の原因で事故が発生し、その事故の額が当人の付保した自動車損害賠償保険及び自動車保険による補償額を超えるときは、その超える部分については会社が費用を負担する。

第10条（免責事故）

　会社は、次に掲げる事件、事故については、いっさい責任を負わない。

　　（1）本人の不注意で発生した事故

　　（2）本人の不注意による自動車の盗難・損傷

　　（3）従業員が、会社の許可を得ることなく、私有車を業務に使用して起こした事故

第１１条（道路交通法違反）

　社用に利用中、当人が道路交通法に違反し、科料または罰金に処せられたときはその科料または罰金は当人が負担するものとする。

第１２条（出張または社用外出の際の取扱）

　会社が出張または社用外出に自己所有自動車の利用を指示した場合には、出勤簿または社用外出簿に「自家用車利用」等、その旨を明記しなければならない。

第１３条（許可の取り消し）

　従業員が、次のいずれかに該当するときは、私有車の業務使用の許可を取り消す。

　　　（１）故意または重大な過失によって、交通事故を発生させたとき
　　　（２）交通法規にしばしば違反した時
　　　（３）この規程にしばしば違反したとき

付　　則

この規程は　　　　　年　　　月　　　日より施行する。

保険代理店における個人情報取扱・管理Q＆A

2020年8月7日 初版発行　定価(本体1,450円＋税)

編　　著	日本創倫株式会社
	山 本 秀 樹
	風 間 利 也
	田 畑 尊 靖
企　　画	金 井 秀 樹
発 行 者	今 井 進次郎
発 行 所	株式会社 新日本保険新聞社
	大阪市西区靱本町１－５－15
	（第二富士ビル６Ｆ）
	郵便番号550－0004
電　話	06－6225－0550（代表）
ＦＡＸ	06－6225－0551（専用）
ホームページ	https://www.shinnihon-ins.co.jp/

ISBN978-4-905451-92-1